한국 독립과 동양평화의 사도

안중근

한국 독립과
동양평화의 사도
안중근

| 오영섭 지음 |

무반 가문의 큰손자로 태어나다

안중근은 1879년 9월 2일 황해도 해주부 수양산首陽山 아래 광석동에서 아버지 안태훈安泰勳과 어머니 조성녀趙姓女(조마리아)의 3남 1녀 중 장남으로 태어났다. 어릴 때 이름兒名은 가슴과 배에 북두칠성 같이 7개의 점이 있어 안응칠安應七이라 했다. 천주교 세례명은 토마스(Thomas, 道瑪)였다.

본관은 순흥順興으로 고려의 유학자 안향安珦의 26대손이다. 순흥안씨 참판공파는 조선 중기에 서울을 떠나 해주로 내려가 일가를 이루었다. 17대조 안려安廬는 사마시에 합격한 생원으로서 건원릉 참봉을 지냈다. 15대조 안효신安孝信은 어린 나이에 문단에서 명성을 날릴 정도로 문장에 능했으나 벼슬을 구하지 않고 해주로 내려가 은거 생활을 하였다. 곧 안효신은 순흥안씨 참판공파의 해주 입향시조가 되었다. 이후 안중근의 선조들은 14대조 안숙근安淑覲과 13대조 안류安瑠가 통정대부의 품계를 받았을 뿐이며 안중근의 5대조 안기옥安起玉에 이르기까지 벼슬길에 나

황해도 해주읍과 수양산(안중근의 고향)

가지 못했다.

　해주에 정착한 안중근 조상들의 신분이 양반인지 혹은 주변 신분인지에 대해서는 명확히 단정을 내릴 수가 없다. 1845년에 순흥안씨족보소가 간행한 『순흥안씨족보』에는 안려에 대해 '진사, 후사 없음[進士無后]'이라고 되어 있으나, 1864년 안최량安最良이 편찬한 『순흥안씨족보』에는 안려에 대해 후사가 나와 있지 않고 '진사'라고만 되어 있다. 이에 반해 1910년대 이후에 간행된 족보에는 안려의 장조카로 강진현령을 지낸 안효충安孝忠의 둘째 동생 안순복安純福이 안려의 양자로 들어가서 안효신을 낳았다고 되어 있다. 따라서 안중근의 15대조이자 해주 입향시조인 안효신의 존재는 1918년에 신문관에서 간행된 『순흥안씨족보』와 1936년에 간행된 『순흥안씨족보』에서 처음으로 나온다. 또한 1800년대 중·후반에 간행된 족보에는 안려의 형인 안의安顗의 후손으로 안효충만이 나와 있을 뿐이다. 그런데 1910년대에 간행된 족보에는 안의의 후손으로 안효충 외에도 안현복·안순복·안경복·안창복·안성복·안준복 등이 새로 나온다.

해방 전후에 안중근의 전기와 비문을 집필한 이들은 안중근 가문의 신분을 한결같이 향리로 보고 있었다. 안중근 의거 이후에 지은 간략한 전기에서 김택영金澤榮은 "그 선조는 본래 순흥 사람으로 해주에 살면서 대대로 주리州吏를 지냈다. 안태훈 대代에 이르러 글을 읽어 진사가 되었다"고 하고 이건승李建昇은 "그의 선조는 순흥인데 중도에 해주로 이사하여 주리를 지냈다"고 하였다. 또한 김창숙金昌淑은 1961년에 지은 「안중근의사숭모비문」에서 "그 선조의 세가는 서한西韓의 해주에서 주리가 되었는데 부친 안태훈 대에 이르러 독서하여 국자생이 되었다"고 하였다. 이처럼 구한말과 근대 초기에 보학에 소양이 있던 인사들은 안중근 가문을 해주의 향리 집안으로 파악하고 있었다. 나아가 안중근의 가문이 안태훈 대에 이르러 유학 공부를 통해 문과로 진출을 시도했다고 하였다. 따라서 안중근의 선조들은 서울에서 해주로 내려온 후에 해주 지역에서 이서직을 세습했던 향리 가문이었고, 안태훈 대에 비로소 문과 관문에 발을 들여놓기 시작했음을 알 수 있다.

안중근 가문은 안기옥 대에 이르러 무과를 통해 관계 진출을 도모하였다. 이는 향리직을 장기간 세습하면서 사회경제적 능력을 갖추어 나간 이서층이 과거를 통해 양반층으로 편입되려는 신분상승운동을 벌였음을 의미한다. 안기옥은 영풍永豊·지풍知豊(안중근의 고조부)·유풍有豊·순풍順豊 등 네 아들을 두었다. 이들은 모두 무과에 급제하여 지역사회 유력층으로 등장하였다. 이처럼 향리 가문의 4형제가 모두 무과에 급제한 것은 가문의 위상을 몇 단계 높인 쾌거였음에 틀림없다.

안지풍의 맏아들 정록定綠(안중근의 증조부), 안유풍의 아들 두형斗亨, 손자 인환仁煥, 안순풍의 아들 신형信亨 등이 무과에 급제하였다. 나아가 안유풍의 손자 인권仁權이 절충장군의 품계를 받았고, 인필仁弼이 중앙 군사조직인 5위의 정6품 군직인 사과를 받았으며, 안중근의 조부 안인수安仁壽는 종6품의 무반직인 진해현감이란 자리를 명예직으로 받았고, 안중근의 큰아버지 안태진安泰鎭은 해주부의 무반직인 군사마 자리를 거쳤다. 이상의 사실들은 안효신 이래 벼슬길에 나가지 못한 안중근의 선조들이 향리직을 세습하면서 재부를 축적한 다음, 그러한 재부를 기반으로 무과를 통해 무반 가문으로 성장한 사실을 엿볼 수 있다.

안기옥 이래 안중근의 선조들은 무과를 중시하는 상무적 기질과 가풍을 형성해 왔다. 안중근의 선조들은 1894년 과거제도가 공식 폐지되기 전까지 무과를 통해 입신양명을 도모한 전형적인 무반 가문이었다. 그러므로 그들은 자연스럽게 무력을 숭상하고 무력의 가치를 인정하는 상무 풍조의 분위기 속에서 성장하였다. 이러한 분위기가 안중근 자신은 물론 후손과 조카들의 생애에 상당한 영향을 미쳤음은 재론할 필요가 없다. 그들의 상무적 기질과 가풍은 1894년 안중근 일족의 동학군 진압활동, 대한제국기 포군을 앞세운 천주교 비호활동, 1907~1909년 안중근의 의병활동과 이토 히로부미 포살 의거, 안명근安明根의 조선총독 암

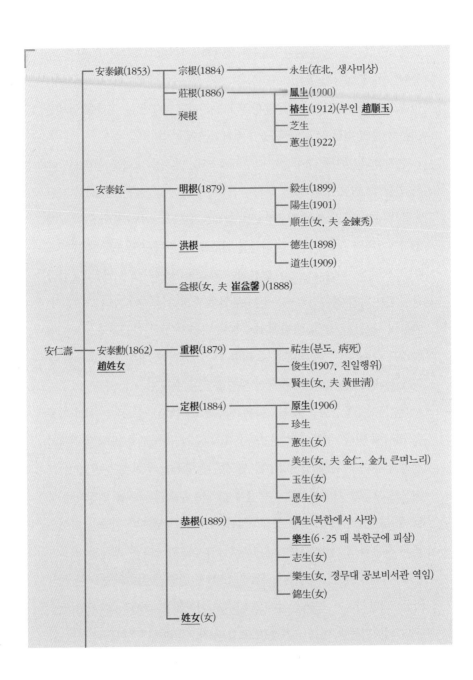

安泰鎭(1853) ── 宗根(1884) ─────── 永生(在北, 생사미상)

├─ 莊根(1886) ──── 鳳生(1900)

└─ 昶根 │ **椿生**(1912)(부인 **趙順玉**)

　　　　　　　　　├─ 芝生

　　　　　　　　　└─ 蕙生(1922)

安泰鉉 ──── **明根**(1879) ─────── 毅生(1899)

　　　　　　　　　├─ 陽生(1901)

　　　　　　　　　└─ 順生(女, 夫 金鍊秀)

├─ **洪根** ─────── 德生(1898)

│　　　　　　　　└─ 道生(1909)

└─ 益根(女, 夫 **崔益馨**)(1888)

安仁壽 ── 安泰勳(1862) ── **重根**(1879) ─────── 祜生(분도, 病死)
趙姓女

　　　　　　　　　├─ 俊生(1907, 친일행위)

　　　　　　　　　└─ 賢生(女, 夫 黃世淸)

├─ **定根**(1884) ─────── 原生(1906)

│　　　　　　　　├─ 珍生

│　　　　　　　　├─ 蕙生(女)

│　　　　　　　　├─ 美生(女, 夫 金仁, 金九 큰며느리)

│　　　　　　　　├─ 玉生(女)

│　　　　　　　　└─ 恩生(女)

├─ **恭根**(1889) ─────── 偶生(북한에서 사망)

│　　　　　　　　├─ **樂生**(6·25 때 북한군에 피살)

│　　　　　　　　├─ 志生(女)

│　　　　　　　　├─ 樂生(女, 경무대 공보비서관 역임)

│　　　　　　　　└─ 錦生(女)

└─ **姓女**(女)

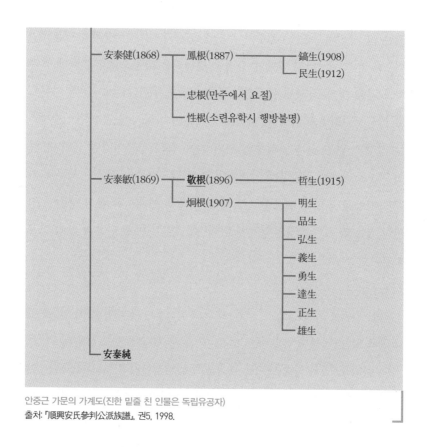

安泰健(1868) ─┬─ 鳳根(1887) ─┬─ 鎬生(1908)
　　　　　　　 │　　　　　　　 └─ 民生(1912)
　　　　　　　 ├─ 忠根(만주에서 요절)
　　　　　　　 └─ 性根(소련유학시 행방불명)

安泰敏(1869) ─┬─ **敬根**(1896) ─── 哲生(1915)
　　　　　　　 └─ 炯根(1907) ─┬─ 明生
　　　　　　　　　　　　　　　├─ 品生
　　　　　　　　　　　　　　　├─ 弘生
　　　　　　　　　　　　　　　├─ 義生
　　　　　　　　　　　　　　　├─ 勇生
　　　　　　　　　　　　　　　├─ 達生
　　　　　　　　　　　　　　　├─ 正生
　　　　　　　　　　　　　　　└─ 雄生

安泰純

안중근 가문의 가계도(진한 밑줄 친 인물은 독립유공자)
출처: 『順興安氏參判公派族譜』, 권5, 1998.

살 미수사건, 1930년대 이후 안공근安恭根의 특무공작단 운영 등에서 엿볼 수 있다. 한마디로 안태훈 가문은 문필력보다는 무용력을 과시하는 무장활동에서 강점을 드러내었다.

안중근 집안의 상무적 기질과 가풍은 안태훈과 그의 형제들에게도 그대로 전승되었다. 안중근의 5대조 안기옥의 후손들 가운데 유일한 문과 급제자인 안태훈이 가문의 전례를 벗어나 무과가 아닌 문과에 응시한 것은 그 자신의 뛰어난 재주와 부친 안인수가 이룩한 경제력 덕분이었다. 즉 안인수는 자기 당대에 축적한 경제력을 바탕으로 자손들에게 유학 교육을 통해 과거에 급제하도록 함으로써 무반 가문을 문반 가문으로 격상시키려 노력하였다. 따라서 안태훈이 사마시에 입격하여 진사라는 칭호를 얻은 것은 안인수의 지위상승운동의 산물이었던 셈이다. 안인수의 소원과는 무관하게 안태훈의 형제들은 가문의 전통인 상무적 기질과 가풍을 충실히 계승하고 있었다. 안태훈 형제들과 잠시 생활한 경험이 있는 김구는 안태훈 형제에 대해 『백범일지』에서 다음과 같이 언급하였다.

> 안진사 여섯 형제는 모두 문사의 풍모가 있었으나 유약해 보이는 점이 하나도 없었고, 특히 안진사는 눈빛이 찌를 듯 빛나 사람을 압도하는 기운이 있었다. 당시 조정 대관들 중에 글로써 항쟁하던 자들도 처음에는 안진사를 악평하였지만, 얼굴만 마주 대하고 나면 부지불식간에 경외하는 태도를 가지게 되었다고 한다. 나의 관찰로는 그는 퍽 소탈하여 무식한 아랫사람에게도 교만한 빛 하나 없이 친절하고 정중하여 위아래 모두 함께 하기를 좋아하였다. …… 안진사는 또한 황석공黃石公의 소서素書 구절을 자필로 써서 벽장문에 붙여두고 술기운이 있을 때마다 낭독하였다.

김구는 안인수의 자제들인 태진·태현·태훈·태건·태민·태순 등 6형제가 모두 문사의 풍모를 갖추고 있으면서도 동시에 강건한 기상을 지니고 있음을 칭탄하였다. 아울러 여섯 형제 중에서도 서민적 소탈함을

지니고 있는 안태훈이 눈빛만으로도
사람을 압도할 정도의 기상을 발휘
했다고 감탄하였다.

　안중근 가문의 상무적 가풍은 안
태훈의 큰아들 안중근의 행동방식
과 사고방식에 가장 잘 반영되어 있
었다. 나중에 뤼순旅順감옥에서 안중
근은 자신이 "친구와 의리를 맺고[親
友結義], 술 마시고 노래하고 춤추고
[飮酒歌舞], 총을 쏘며 사냥하고[銃砲
狩獵], 날랜 말을 타고 달리는[騎馳駿
馬]" 4가지를 평생 즐겨 이행했음을
자랑스럽게 술회하였다. 또한 그는

안중근의 부인 김아려 여사와
아들 분도(왼쪽), 준생

"영기가 넘치고, 여러 군인들 중에서 사격술이 제일이며, 나는 새나 달
리는 짐승을 백발백중으로 맞추는 재주"가 있었다. 그리고 어려서부터
사냥을 즐겨 하여 언제나 사냥꾼을 따라다니며 산이나 들로 쏘다니느라
학문에 힘쓰지 않았다. 『통감절요通鑑節要』에 나오는 "글은 이름이나 적을
줄 알면 그만이다"는 초패왕楚覇王 항우項羽의 고사를 가슴속에 새기며 항
우처럼 대장부의 기상을 드날리는 인물이 되고 싶다는 포부를 나타냈다.
또한 16세의 어린 나이에 포군을 거느리고 동학군을 진압하였고, 20대
초반에 만인계萬人契의 사장으로서 채표彩票의 추첨날에 벌어진 군중들의
항의소동을 생명을 내걸고 진정시킨 초인적인 담대함을 보여주었다.

이상 안중근의 예화에 나오는 상무적인 사고방식이나 행동 양태는 의협심과 무용력이 유단히 뛰어났던 안중근 개인에게만 국한되는 모습이라기보다는 안중근 가문의 다수 인사들이 은연중에 품고 있던 기본 성향 가운데 하나였다고 판단된다. 그들은 누대에 거쳐 무과를 통해 입신하고자 병서와 병학을 공부하고 무예를 수련하는 각고의 노력을 기울이는 가운데 자연스레 상무적 가풍을 형성하게 되었다. 이러한 상무적 가풍은 을사늑약 이후 안중근 가문이 민족운동에 종사할 때에 직접적 영향을 미쳤음을 주목할 필요가 있다.

아버지를 따라
동학군과 전투를 벌이다

1894년 가을 전국 각지에서 동학농민군이 봉기하였다. 황해도에서도 같은 해 9월경에 여러 곳에서 동학농민군이 일어났다. 이는 민씨 세도정치의 부정부패, 지방관과 양반지주의 탐학, 동학도에 대한 탄압, 이서층의 발호, 방곡령에 따른 반일 분위기 등에 반발하여 각지에서 일어났던 민란의 정신을 이어받고 있었다. 다만 1894년 이전의 민란이 고을 차원의 지역적인 문제나 지방관료의 타도 등을 내세웠다면, 1894년의 농민 봉기는 지역적 한계를 넘어서 전국적 차원에서 개혁을 염원했다. 이러한 창의 이념에 따라 황해도의 동학농민군은 약 4개월 동안 활동하며 도접주道接主 원용일元容日의 지도 아래 해주감영을 점령하는 등 기세를 올리기도 하였다.

병략과 무용을 겸비한 안태훈은 동학농민군이 봉기하자 반동학 활동을 벌였다. 당시 위정척사론을 신봉하던 지방의 보수적 양반유림들은

동학농민운동 기념탑

유교적 사회체제의 근간을 뒤흔드는 동학군을 적극적으로 탄압하였다. 아울러 안태훈처럼 개화 성향을 지닌 인사들도 동학군을 도적이나 비도로 간주하여 진압하고자 노력하였다. 그들은 동학군이 봉건정부의 부정부패와 탐관오리의 탐학행위 때문에 봉기했음을 분명히 인식하고 있었다. 그럼에도 이들은 자신들이 향촌사회에서 누리고 있는 사회경제적 기득권이 동학도에 의해 침해되는 것을 원치 않았다. 그렇기 때문에 그들은 일본군이나 관군과 연대하여 동학도를 탄압하는 반민족적 행위를 벌이기도 하였다. 따라서 안태훈의 동학군 진압 활동은 한국인들이 근대적인 단일민족의식을 형성하기 이전에 벌였던 불행한 사건이었다.

1894년 가을에 안태훈은 청계동에 의려소義旅所를 차려 놓고 포군을 규합하여 동학군 진압 활동에 돌입하였다. 그의 반동학 활동의 계기에 대해 안중근의 제자 이전李全은 당시 개화관료인 황해감사 정현석鄭顯奭이 안태훈을 의려장으로, 안태현을 별군관으로 임명하여 동학군을 진압하게 하였기 때문이라고 하였다. 또한 그는 정현석과 안태훈 사이에 무기와 탄약의 보급에 관해 사전 협약이 이루어졌다고 하였다. 이러한 주장은 상당히 신빙성이 높아 보인다. 동시에 동학농민운동 이전에 보통의 부호 가문처럼 안중근 가문이 다수의 산포수들을 양성하여 식객으로 거느리고 있었던 사실도 중요한 고려사항이 되었다.

안태훈은 청계동에 기숙하고 있는 포군 20명에게 창의 의사를 알리고 인근 각지에 산재한 포군들에게 소집 통문을 돌렸다. 이렇게 불러 모은 군사가 정병이 70여 명, 장정이 100여 명에 달하였다. 그리고 각지에 창의문을 보내 의거를 독려하고 처자들까지 항오에 편입시켜 동학군에 대응할 태세를 갖추었다. 그는 청계동 앞 망대산望臺山에 포대를 설치하여 청계동을 수비하게 하였으며, 자신의 거처에 의려소를 설치하고 자신의 친필로 쓰인 '의려소'란 편액을 내걸었다. 이어 훈련 경험이 없는 포군들과 장정들을 위해 단기간에 임시 특별훈련을 행하였다. 그리고 전원을 3개 중대로 나누어 제1대장에는 한재호를, 제2대장에는 임도웅을, 제3대장에는 노제호를, 총참모에는 안태건을 임명하고, 안태훈 자신은 총지휘를 맡았다.

1894년 11월 13일에 안태훈의 신천의려는 동학농민군을 크게 무찔렀다. 당시 황해도의 동학 도접주 원용일과 부접주 임종현林宗玄은 청계동에 집결한 반동학군을 토벌하기 위해 1천여 명 동학군을 거느리고 출동하였다. 이미 동학군은 장연군·신천군·장수산성·수양산성 등 신천군의 인근 기여을 모두 점령한 터여다 11월 14일 동학군은 청계동에서 북방으로 10리 정도 떨어진 박석골까지 육박하여 야음을 틈타 청계동을 기습하려고 하였다. 급보를 접한 안태훈은 대책을 강구한 끝에 박석골의 동학군 선제공격을 결정하였다. 그리하여 포군영수 노제석에게 40명의 정병을 이끌고 출전하게 하고, 남은 병정들에게 청계동을 지키게 하였다. 이에 노제석은 포군을 이끌고 동학군을 공격하여 18명을 포살하는 전과를 올렸다. 신천의려의 승첩에 접한 신천군수는 노제석에 대한 포상을 해주감영에 상신하였다. 아울러 11월 19일에 신천군수는 안태훈을 소모관으로 삼을 것을 청하는 공문을 올렸다.

박석골전투 얼마 후에 안태훈은 해주부 인근에서 다시 동학군을 격퇴하였다. 그는 황해감사의 구원 요청을 받자마자 노제석·한재호 등의 포군을 거느리고 해주로 향하여 진군하였다. 이는 11월 23~27일 사이에 해주감영의 포군과 일본군이 취야鷲野의 동학군을 공격할 때에 안태훈의 신천의려도 거기에 가담했음을 의미한다. 또 12월 13일 원용일의 동학군이 신천군아를 점령하자 신천군수가 가족들을 거느리고 도보로 청계동으로 피신하였다. 이에 안태훈은 1895년 3월경까지 신천군수 일행을 청계동에 머물게 하였다. 또한 안태훈은 신천과 재령 일대에서 활동하고 있는 동학군이 정부미를 탈취하여 신천군 용두리의 민영룡閔泳龍의 창고에 저장해 놓은 것을 빼앗아다가 포군들의 군량으로 사용하였다. 이 군량미 사용 문제는 동학군이 진압된 후에 안태훈에게 곤란거리가 되었다.

신천의려가 동학군을 진압할 때에 안중근도 중요한 역할을 담당하였다. 안중근은 박석골전투 당시에 동지 6명과 함께 '선봉 겸 정탐독립대'를 조직하여 동학군의 대장소 근처까지 다다랐다. 그는 기율이 부실한 동학군의 허점을 은밀히 탐지한 후 동지들과 함께 선제공격을 결의하였다. 이어 야음을 틈타 동학군의 대장소를 공격했다가 포위를 당했으나 후원군의 도움으로 겨우 풀려났다. 이후 안중근은 더 이상 전투에 가담하지 않았으며, 오히려 두 달 동안이나 중병에 걸려 고생을 하였다. 아무리 무용이 뛰어났다고 하더라도 16세의 어린 안중근에게 생사가 걸린 동학군 진압 활동은 힘겨운 일이었다.

유교를 간직한 채
새로운 종교 천주교를 수용하다

1894년 갑오경장 이전에 안중근은 조부 안인수가 세운 가내 서당에서 한학을 공부하였다. 이에 대해 그는 "조부모의 사랑을 받으며 한문학교에 들어가 8~9년 동안에 겨우 보통학문을 익혔다"고 회고했다. 또한 하얼빈 의거로 수감되어 일본인들에게 심문받을 때에 "그대는 지금까지 어느 정도의 교육을 받았는가?"라는 질문에 대해, 안중근은 "나는 해주에 있을 때와 신천으로 이사하고부터 집에 사립학교를 설치하고 한문의 천자문과 조선 역사와 맹자와 통감 등을 공부하였다"고 하였다. 아울러 "그대는 사서오경 및 통감도 읽었다 하는데 과연 그러한가?"라는 질문에 그는 "나는 경서를 다소 읽고 또 통감도 읽었다. 그 외에는 만국역사 또는 조선역사를 읽었다"고 말했다. 이는 안중근이 개화기에 넉넉한 집안의 아동들처럼 평범한 전통교육 과정을 밟았음을 보여 준다.

안중근의 한학 실력은 시 부문에서 진사시를 통과하고 황해도에서 시객으로 명성이 높았던 부친 안태훈에 비하면 매우 낮은 편이다. 그는 당대의 평범한 재야 지식인보다 낮은 정도의 한학 실력을 갖췄다. 다만 그는 평이한 한문으로 문장을 짓고 시를 지을 수 있을 정도의 한학 실력만을 지니고 있었다. 이러한 정도의 한학 실력이 유감없이 발휘되어 나타난 것은 『안응칠역사安應七歷史』와 『동양평화론』 및 200여 점의 유묵이다. 이러한 문적이나마 후세에 남기려면 다년간 집중적인 한학 수련과정을 거쳐야만 가능했을 것이다.

갑오경장 이전에 8~9년간의 집중적인 한학 수련기를 거친 안중근은 이후 여러 사건과 계기를 거치면서 사상적 지평을 넓혀 나갔다.

첫째, 천주교와 서양 선교사를 통해 만민평등사상과 민권사상에 눈을 떴다. 구체적으로 그는 부친과 빌렘(Nicolas J.M. Wilhelm, 洪錫九) 신부의 영향으로 천주교서를 암송하고 교리문답서를 베껴 쓰는 과정에서 천주교를 받아들였다. 빌렘 신부로부터 프랑스어를 배우고 서양 세계에 대해 배우는 과정에서 서양사상을 적극적으로 받아들이게 되었다.

둘째, 러일전쟁의 발발과 한일의정서의 체결, 을사늑약의 강제 체결, 고종의 강제 퇴위와 정미조약 및 군대 해산 등 국내외에서 벌어진 다양한 사건을 목도하면서 일제의 침략 의도를 명확히 깨닫게 되었다. 1905년 가을 러일 사이에 강화조약이 맺어질 즈음에 그는 날마다 신문과 잡지와 각국 역사를 상고하며 읽고 있었고 이미 지나간 과거나 현재나 미래의 일들을 추측하기도 하였다. 또한 한국의 국권이 사실상 상실된 을사늑약이 체결되자 러일전쟁 당시 일제의 한국 보호 약속이 허구였음을 깨닫고 대외인식과 현실인식의 측면에서 반일의식을 강화하게 되었다.

셋째, 시ㅇ 학회에 가입하여 활동하면서 안창호安昌浩·김달하金達河 등을 비롯한 신민회계 민족운동가들과 인연을 맺었고 그들로부터 큰 영향을 받았다.

넷째, 계몽 잡지를 열독하며 세계정세와 시국 대세를 파악하게 되었다. 안중근은 대한협회에 입회한 일은 없으나 대한협회의 전신인 『대한자강회월보』를 항상 열독하고 있었다고 하였다. 따라서 1906년 7월부터 1907년 7월까지 발간된 기관지를 통해 변화무쌍한 당시 상황을 스스로 체득하였다.

다섯째, 연해주에서 활동하는 동안 이상설李相卨·이강李剛 등의 계몽운동자들과 교류를 통해 구국계몽사상을 확고히 정립하였다. 이는 향후 자신의 활동 영역을 확대하는 든든한 밑거름이나 마찬가지였다.

이 외에도 안중근은 한국·미국·러시아에서 발간된 한글판 애국계몽신문을 통해 많은 정보와 지식을 얻었다. 하얼빈 의거 후 심문받을 당시 "그대는 한국의 과거·현재·장래에 관하여 정치상의 사상을 갖고 있는 것 같은데, 그것은 타인으로부터 들은 것인가 또는 신문에 의하여 안 것인가?"라는 검찰관의 심문에 안중근은 "타인으로부터 들은 것은 아니다. 한국에서 발행하는 『대한매일신보』·『황성신문』·『제국신문』, 미국에서 발행하는 『공립신보』, 또 블라디보스토크에서 발행하는 『대동공보』 등의 논설을 읽고 위와 같은 생각이 들었다. 내가 가장 많이 읽은 것은 『대한매일신보』·『황성신문』이며, 그 밖에 약간씩 보았다. 위의 신문들은 5, 6년 전 또는 3, 4년 전부터 신문이 손에 들어옴에 따라 읽고 있었다. 계속 열독하고 있지는 않았다"고 하였다. 이를 보면 안중근은 신문들을 통해, 특히 국내의 『대한매일신보』·『황성신문』을 통해 시국 문제에 대한 인식과 정치사상을 형성하게 되었음을 알 수 있다.

여러 경로를 통한 근대적인 지식·정보의 섭취와 그로 인한 사상의 진전에도 불구하고 안중근의 행동방식과 사고방식에 근본적 변화가 일어난 것으로 보이지는 않는다. 다시 말해 그는 여전히 유가적인 의리관이나 호걸풍의 처세관을 지사의 가장 중요한 가치로 인식하고 있었다. 을사늑약 전후 국내 신문에서 받아들인 민족간·국가간 우승열패를 당연시하는 사회진화론을 순국 직전까지도 그대로 간직하였다. 그리고 대한제국의 고종황제를 충실한 따르는 충직한 충군애국론자의 모습을 보여주었다. 특히 그는 심문 과정에서 "총명하신 전 한국 황제를 폐하고 젊으신 현 황제를 세워서 양호한 성적을 올리지 못함은 한국에 대해 결코 진보가 아니다", "지금 황제폐하께옵서는 혹은 나의 행위(하얼빈 의거)에 대해 반대로 생각하고 계실지도 모르나 나는 오로지 국가를 위해 진력한 것이다. 그리고 조직도 통감부의 손을 거쳐 나오는 것이므로 과연 그것이 황제의 진의인지 아닌지는 믿어지지 않는다", "(이토는) 황제를 억류하여 드디어 폐위했다. 원래 사회에서 가장 존귀한 것은 황제이므로 황제를 침해한다는 것은 할 수 없는 터인데도 이토는 황제를 침해한 것으로 그것은 신하로서는 있을 수 없는 행위이며 이 위에 더 있을 수 없는 불충한 자이다"라고 하였다. 이러한 예화들은 안중근이 황권과 국권의 차이를 구분하고 있기는 하지만, 그럼에도 한국의 전·현임 황제의 존재를 인정하고 있던 충직한 근왕주의자임을 보여준다.

개항기 종현성당(명동성당)과 주변 풍경

　한편 안중근은 부친 안태훈의 영향으로 투철한 종교적 심성을 갖게
되었다. 1894년 9월경 황해도 전역에서 동학농민운동이 일어나자 해주
감사 정현덕은 안태훈을 의려장으로 삼아 동학농민군을 진압하도록 하
였다. 11월 중순에 안태훈은 가내에 사병으로 양성한 포군 70여 명과 수
십 명의 촌민을 거느리고 농민군을 진압하였다. 이때 그는 농민군에게
노획한 5백 석의 정부 소유 군량미를 임의로 사용했는데, 이것이 문제되
어 이듬해 여름 그 군량미의 상환 문제로 어윤중과 민영준으로부터 추
궁을 받았다.

　1896년 8월 안태훈은 해주관찰부의 후원자에게 군량미 문제에 대한
선처를 부탁하는 한편, 자신의 정치적 후원자인 중앙고관 김종한金宗漢의

측면 지원에 따라 서울로 올라가 문제 해결에 노력하였다. 그것이 여의치 못하자 평소부터 믿어볼 생각을 품고 있던 천주학의 진원지인 종현鍾峴의 천주교당(명동성당)으로 피신하여 '몇 달 동안' 프랑스 신부들의 보호를 받아가며 그들의 도움으로 군량미 문제를 해결하였다. 평소 서양 종교에 호의적인 생각을 갖고 있던 안태훈은 목전의 난제를 해결하려는 현실적·공리적인 목적에서 천주교를 적극적으로 수용했다.

종현성당에서 안태훈은 천주교의 기본 교리와 신교의 자유를 호교론적 입장에서 기술한 『상재상서上宰相書』를 읽고 천주교에 대한 이해를 심화시킨 다음, 『천주실의天主實義』·『칠극七克』 등의 서책을 통해 천주교 교리를 깨달았다고 한다. 그는 강론을 듣고 성서도 읽으며 지내다가 1896년 10월 말 이종래李保祿와 함께 『교리문답教理問答』·『12단』 등 120여 권의 종교서와 개화서를 가지고 청계동으로 돌아와 친지들과 촌민들에게 나눠주며 복음을 전파했다. 이때 「안태훈의 요청」이란 문건을 주민들에게 보내 천주교 입교를 권했다고 한다. 이처럼 신천군의 유력자 안태훈이 전교 활동에 팔을 걷어 부치고 나서자 두 달 만에 7개 마을에서 천주교로의 개종 움직임이 일어났다. 당시 부친의 인도로 천주교에 귀의한 안중근도 열렬한 신앙심으로 빌렘 신부의 복사를 수행하여 해주·옹진 등 여러 지방을 돌아다니며 전교 활동을 펼쳤다.

안태훈은 신천군의 천주교 발전을 위해 안악군 마렴본당의 빌렘 신부를 청계동으로 불러오기로 결정하고 그에게 청계동 공소의 개소를 요청하였다. 빌렘은 2명의 전교회장을 파견하였다. 전국 각지의 천주교회당을 두루 방문하는 기회에 황해도를 방문한 천주교 조선교구장 뮈텔

(Mutel, 閔德孝) 주교는 1896년 11월 27일 빌렘 신부의 인도로 청계동 공소를 방문하여 성당 축성을 축하하고 안중근 일족에게 영세를 주었다. 11월 28일에 안태현과 그의 아들에게 영세를 주었고, 29일에는 안중근의 조모와 모친 및 누이동생을 포함한 19명에게 영세를 주었다. 1897년 1월에 세례문답을 통과한 안태훈 일족과 청계동 인근 주민 33명에게 세례를 주었고, 4월 중순 부활절에 다시 66명에게 세례를 주었다. 이렇게 영세를 받은 99명 가운데 어린이는 3명뿐이었고 나머지가 모두 가장들인 성인 남자들이었다. 안태훈 가문에서는 조상의 제사 때문에 천주교 수용을 거부한 장자 안태진과 몇몇 친지, 고용꾼 1명만을 제외한 거의 대부분의 남성들이 세례를 받았다.

1898년 4월 빌렘 신부가 마렴본당을 다른 신부에게 넘기고 청계동에 정착함으로써 안중근 가문의 근거지인 청계동은 마렴에 이어 황해도의 두 번째 본당이 되었다. 이후 해서교안(海西教案, 1900년에서 1903년 사이에 해서지방에서 일어난 천주교 신자들과 민간인, 그리고 관청과의 충돌로 빚어진 소송사건)으로 인해 빌렘 신부가 뮈텔 주교의 소환령을 받아 서울로 올라감과 동시에, 서양선교사[洋大人]라는 보호막이 사라진 안태훈이 지방정부의 체포를 피해 피신하는 1904년 4월 이전까지 청계동은 황해도에서 천주교 전교의 중심지 가운데 하나가 되었다.

안중근 가문의 윗세대들은 중국이나 러시아로 망명한 후에도 자손들에게 천주교를 믿도록 가르쳤다. 예컨대 안태현은 1910년대 후반 지린吉林성 방정현方正縣에 살 때에 손자들을 수시로 모아놓고 "너희들 천주교 안 믿으면 오늘부터 날 할아버지라고 부르지 마라. 나도 너희들 손자라고 취급 안 할 테야. 이제부터 담을 쌓고 사는 거야. 내가 시키는 대로 하면 다 손자고 내가 너희들 할아버지고 오늘부터 안 믿으면 담을 쌓는 거야. 어떻게 할 꺼야?" 하며 천주교 신앙을 강조하였다. 그리고는『교리문답』을 한 권씩 나눠주며 한 달 이내에 모두 암송하여 자신의 면전에서 시험을 보도록 하였다. 이런 방식으로 안중근 가문은 세대를 이어가며 독실한 천주교 신자들로서 거듭 태어났다.

안중근 가문의 신앙생활은 참으로 독실했다. 안중근과 같은 시기에 세례를 받은 안명근은 황해도 안악에서 독립자금 모금활동을 벌이다가 일제에게 체포되어 무기징역형을 선고받고 15년을 복역하고 출옥하였다. 그는 옥중에서 심문을 당할 때나 일본 기념절에 요배遙拜를 하지 않았다는 이유로 혹독한 고문을 당했는데, 이때 그는 오로지 천주의 말씀을 떠올리며 죽음의 공포를 이겨냈다고 한다. 나중에 만주로 망명한 다음에, 그는 자손들에게 자신에게 천주교 신앙이 없었더라면 벌써 죽었을 것이라고 말하였다.

안태훈의 인도로 천주교를 수용한 안중근 가문은 점차 천주교를 내면으로 받아들이는 신앙단계로 접어들게 되었다. 천주교를 접한 후에 그들은 세례를 받기 위해 교리문답서를 읽고 베껴 쓰는 과정에서, 그리고 주일마다 공소에 참여하여 예배를 드리는 과정에서 점차 참다운 신자로 변모해 가고 있었다. 이에 대해 안중근은 "경문을 강습도 받고 도리를 토론도 하기를 여러 달을 지나 신덕信德이 차츰 굳어지고 독실히 믿어 의심치 않고 천주 예수그리스도를 숭배하며 날이 가고 달이 가고 몇 해가 지났다"는 신앙고백을 하였다. 이는 교리 강습과 토론을 통해 천주교가 안중근의 내면에서 체화되어 가고 있었음을 토로한 부분이다.

친주교를 신앙으로 받아들이면서 안중근은 천주교를 인격 도야와 사회 개혁의 원동력으로 삼아야 한다고 주장하였다. 그는 신천군 일대에서 전교 활동할 때에 "지금 세계 문명국 박사·학사·신사들 중에 천주예수그리스도를 믿지 않는 사람이 없다. …… 우리 동포 형제자매들은 크게 깨우쳐 천주교를 믿어 지난날의 과오를 깨닫고 참회하여 현세를 도덕의 시대로 만들어 함께 태평을 누리다가 내세에 천당에 올라가 무궁한 복락을 누리자"고 역설하였다. 이처럼 천주교를 통해 과거의 잘못을 반성하고 새로운 시대를 열어갈 열쇠로 삼자는 것은 천주교를 사회 발전과 국가 발전의 원동력으로 삼자고 하는 천주교 입국론에 다름 아니었다. 물론 이러한 천주교 입국론은 천주교를 독실하게 신봉하는 안중근·안정근·안명근 등을 비롯한 안중근 가문의 젊은 세대에게 공통된 사유 양태였다고 판단된다.

천주교를 사회 발전과 국가 발전의 원동력으로 삼으려는 안중근 가문에게 천주교는 긍정과 부정의 이중적 영향을 동시에 미쳤다. 먼저 전자로는 그들이 천주교 신앙을 통해 점차 상무적 무반 기질을 순화하고 현세적 공리성과 세속성을 벗어던지고 종교적 경건성과 순수성을 지닌 애국 집단으로 변했을 뿐더러 천주교를 재래한 프랑스 신부들을 통해 서양의 근대 사상과 문물을 자연스럽게 받아들였다는 점을 들 수 있다. 다음 후자로는 경술국치 직후까지 그들이 프랑스 신부들에게 의지·결탁하여 가문의 세력을 유지·확대하는 동안 그들은 제국주의와 프랑스 선교사들의 선교우선주의적, 정치불간섭주의인 성격에 치우친 한계에 부닥

친 점을 들 수 있다.

천주교 수용에 내재한 이율배반적인 양면성은 당시 서양 종교를 신봉했던 모든 한국인들에게 동일하게 적용된다. 그러나 다른 가문과 달리 안중근 가문이 제국주의의 침략 논리와 일제의 대한식민통치를 적극적으로 옹호하거나 묵인했던 프랑스 신부들과 밀착하여 생활했기 때문에 이러한 점이 더욱 강하게 부각될 수밖에 없었다. 따라서 안중근 가문으로서는 프랑스 선교사들의 제국주의적 성격을 분명히 깨닫는 한편, 천주교 신앙과 근대적 민족주의 사상을 합일시켜야 하는 어려운 과제를 안게 되었다.

천주교 신앙과 항일민족운동의 합일 과정에서 민족운동에 반대하는 프랑스 선교사들과 여기에 찬동하는 안중근 가문의 젊은 세대와 갈등은 필연적인 현상이었다. 이는 누구보다도 서양 선교사들과 친밀했던 안중근의 경우에 극명하게 드러난다. 대한제국기에 안중근은 빌렘 신부와 함께 서울로 올라가 뮈텔 주교에게 천주교대학의 설립을 제안했으나 거절을 당했다. 이때 그는 분노를 참지 못하여 "교의 진리는 믿을지언정 외국인의 심정은 믿을 것이 못된다. …… 내가 만일 프랑스말을 배우다가는 프랑스 종놈을 면치 못한다"고 말하고 프랑스말 학습을 중단하였다. 이를테면 안중근은 프랑스 선교사들이 천주교의 전교 확대와 제국주의의 세력 판도에만 관심을 가질 뿐 한국의 독립자강문제에 대해서 아무런 관심이 없음을 깨닫고 비로소 민족문제에 눈을 뜨게 되었다.

독실한 천주교 신도로서 교회와 국가를 운명공동체로 파악한 안중근은 을사늑약 전후에 민족운동에 투신하고자 하였다. 이에 대해 한국인

유언을 남기는 안중근

의 민족운동에 방관자적 태도를 유지하던 빌렘 신부는 "네가 만일 여기
서 정치적 소요를 일으키려 한다면 네가 떠나든지 내가 떠나든지 하자"
며 한사코 반대하였다. 그러나 안중근은 "국가 앞에서는 종교도 없다"고
말하며 사상적 후원자인 빌렘 신부의 반대를 무시하였다. 당시 천주교단
의 선교정책에 따라 정치불간섭주의를 강조하는 빌렘 신부와 종교와 민
족운동의 합일을 외치는 안중근 사이에 벌어진 논쟁은 나중에 뤼순감옥
에 수감된 안중근을 찾아간 빌렘 신부의 발언 속에 잘 나타난다.

　　회고하면 3년 전 너는 일시의 분격심에 몰리어 "국가를 위해 크게 하는
　　바 있지 않으면 안 된다" 하여 출국, 블라디보스토크로 향하려고 할 제
　　나는 너의 사람됨을 잘 알고 금일이 있을 것을 두려워하였기로 그 비망
　　悲望을 간유懇諭하기를 "네가 만약 참으로 국사에 진췌盡悴하려면 모름지

기 교육에 종사하고 곁들여 선량한 교도 착실한 국민이 되게 하라"고 하는 동시, "네가 일시의 분격에 의해 경거하여 국사에 분주하는 따위는 다만 너 일신을 망칠 뿐 아니라 나가서는 국가를 위태롭게 하는 소이所以"를 간절히 말했음에도 불구하고, 종래 나에 대해서는 절대로 유순하던 네가 "국가 앞에서는 종교도 없다" 하여 나의 교지에 배반한 당시의 광경은 지금도 아직 눈앞에 방불함을 너는 기억하느냐 않느냐. 오호라. 너로서 만약 당시 나의 말을 들었더라면 금일 이와 같은 누설累絏의 계戒는 받지 않았을 것이다.

안중근은 순국 직전에 안정근·안공근 및 빌렘 신부에게 전한 「최후의 유언」에서 "나는 천국에 가서도 또한 마땅히 우리나라의 회복을 위해 힘쓸 것이다"라고 하여 죽어서도 독립운동을 하겠다는 단호한 의지를 나타냈다. 또 "교자敎子는 그 일일一日을 앞서 성단聖壇에 오르니 교우의 힘에 의해 한국 독립의 길보吉報를 가져다주기를 기다릴 뿐이다"며 천주교 신자들의 독립운동 참여를 적극 촉구하였다. 나아가 그는 "성서에도 사람을 죽임을 죄악이라고 한다. 그러나 남의 나라를 탈취하고 사람의 생명을 빼앗고자 하는 자가 있는데도 수수방관하는 것은 죄악이므로 나는 그 죄악을 제거한 것뿐이다"며 '살인하지 말라'는 천주교의 계명조차도 민족문제 앞에서는 해당되지 않는다는 입장을 보였다. 이러한 태도는 안중근 의거의 역사적 정당성을 당연시한 안중근의 사촌 안명근에게도 동일하게 나타났다. 그는 빌렘 신부를 뮈순으로 보내 안중근에게 영성체식을 집행하게 하자는 자신의 주장을 뮈텔 주교가 여러 가지 이

유를 내세우며 받아들이지 않자 불만을 표시하고 무례한 태도를 보이기
까지 하였다.

천주교를 국가 독립과 발전의
원동력으로 삼자고 설교하다

안중근은 부친 안태훈의 권유로 집안사람들과 청계동 주민들과 함께 천주교를 수용하였다. 안씨安氏촌으로 불리던 청계동에서 안태훈이 주도적으로 천주교를 수용하고 이를 가족·친지와 주변인들에게 권유하자 모두 이러한 권유를 따르게 되었다. 안태훈의 천주교 수용은 정부미 임의 사용을 문제 삼는 고종 정부의 추궁을 벗어나려는 공리적인 목적에서 이루어진 것이기 때문에 순수하게 신앙적인 동기에서 시작된 것은 아니었다. 그러나 자기 집안사람들, 특히 안중근과 같은 젊은 세대에게는 깊은 영향을 미치게 되었다. 안중근은 부친의 영향으로 유교를 떠나 새로운 서양 종교 천주교를 받아들이는 과정을 다음과 토로하였다.

부친은 널리 복음을 전파하고 원근에게 권면하여 입교하는 사람들이 날마다 늘어갔다. 우리 모든 가족들도 모두 천주교를 믿게 되었고, 나도 역시 입교하여 프랑스사람 선교사 홍 신부 요셉[若瑟]에게 영세를 받고 성명을 도미[多黙, 토마스]라 하였다. 경문을 강습도 받고 도리를 토론도 하기 여러 달을 지나 신덕信德이 차츰 굳어지고 독실히 믿어 의심치 않고 천주예수 그리스도를 숭배하며 날이 가고 달이 가서 몇 해를 지났다. 그때 교회 사무를 확장하고자 나는 홍 신부와 함께 여러 고을을 다니며 사람들을 권면하고 전도하면서 군중들에게 연설했었다.

- 『안응칠역사』

안중근은 1897년 1월 아버지와 함께 세례를 받고 선교사 빌렘이 청계동에 본당을 설립·정착하면서 신앙적인 성숙을 이룩해갔다. 안중근은 5명의 숙부 중 가장 가까운 사이로서 자주 사냥을 같이 다녔던 안태건의 열성적인 교회 활동을 지켜보면서 그 자신도 교회 활동 참여를 확대해 나갔다. 안태건은 청계동 성당의 전도회장으로서 빌렘 신부로부터 신임을 받을 전도로 교회 활동에 열심이었다. 안중근은 빌렘 신부의 복사服事로서 그를 수행하여 해주·옹진 등 황해도의 여러 지방을 다니면서 미사 복사도 하고 한국인들에게 적절한 전도 활동을 전개하였다. 안중근은 당시 상황을 자서전에서 다음과 같이 기술하고 있다.

교회의 사무를 확장하고자 나는 홍교사洪敎師와 함께 여러 고을을 다니며 사람들을 권면하고 전도하면서 군중들에게 연설하였다. "형제들이여, 내가 할 말이 있으니 꼭 내 말을 들어주시오. 만일 어떤 사람이 혼자서만 맛있는 음식을 먹고 그것을 가족들에게 나누어 주지 않는다거나, 또 재주

를 간직하고서 남을 가르쳐 주지 않는다면 그것을 과연 동포의 정리情理
라 할 수 있겠소. 지금 내게 별미가 있고, 기이한 재주가 있는데 그 음식
을 한 번 먹기만 하면 장생불사하는 음식이요 또 이 재주를 한 번 통하기
만 하면 능히 하늘로 날아 올라갈 수 있는 것이기 때문에 그것을 가르쳐
드리려는 것이니 여러 동포들은 귀를 기울이고 들으시오."

당시 안중근 집안 젊은 세대들을 포교 활동에 동참시킨 빌렘 신부는
프랑스외방전교회의 전교분리적인 방침 내지 선교우선주의적인 방침에
따라 제국주의적인 선교활동을 전개하고 있었다. 그는 안중근을 비롯해
그 집안의 젊은 세대들과 황해도의 천주교 신자들에게 고압적인 태도를
보였고, 이에 항의하는 안중근 같은 젊은이들에게 매질을 하며 용납하
려 하지 않았다. 당시 안중근은 빌렘 신부의 고압적인 태도에 반발하여
서울 명동성당의 뮈텔 주교에게 알리고자 하였고, 나아가 교황에게 호
소하려고까지 하였다. 그러나 당시 안중근은 빌렘 신부와 같은 프랑스
선교사들을 문명국 출신의 문명인으로 이해하였기 때문에 빌렘 신부의
고압적인 태도를 교회 내에서 발생한 선교사와 교인 사이의 사소한 불
화로밖에 인식하지 못하는 사상적인 한계를 보였다.
　1903년 2월 대한제국 정부에서는 사핵사査覈使를 파견하여 안태훈과
안태건을 체포하려 하였는데 빌렘 신부는 이들의 양도를 거절하였다.
해서교안을 해결하는 중에 나타난 빌렘 신부의 행동은 한국 정부의 권
위에 정면으로 대항하고 그 권위를 압제하는 것이었다. 그러나 안중근
은 한국 정부에 대한 빌렘 신부의 제국주의적인 태도를 인식하지 못하

였으며, 해서교안의 발생 책임이 백성을 압제하는 한국 정부와 한국인 관리들에게 있다고 생각하였다.

안중근은 해서교안을 관리들의 수탈에 항거하는 천주교 신자들에 대한 한국 관리들의 탄압으로 이해하였다. 난동패들의 천주교 신자 칭탁을 해서교안 발생의 직접적인 원인으로 지적하여 천주교 신자에게도 해서교안의 원인이 있다는 것을 어느 정도는 인정하였지만, 근본적인 책임은 한국 관리들의 수탈로 규정하였다. 안중근은 이 사건을 가까이에서 지켜보았지만 그는 빌렘 신부를 비롯하여 프랑스 선교사들이 지닌 제국주의적인 모순을 인식하지 못하였다.

또한 그는 빌렘 신부와의 끊임없는 대화를 통하여 천주교 신앙뿐만 아니라 서양의 근대사상과 문명지식도 배울 수 있었다. 그는 천주교를 수용하는 가운데 현세를 도덕시대로 만들 수 있으며 태평을 누릴 수 있다고 생각하였다. 그리고 천주교를 믿으면 문명국을 만들 수 있으니 대한을 문명국으로 만들기 위해 천주교를 믿어야 한다고 인식했다.

안중근에게는 천주교를 믿는 이유가 문명인이 되기 위해서였고, 한국을 문명국으로 만들기 위해서였다. 그는 천주교를 신앙하면 현세에서는 평화로운 도덕사회를 실현할 수 있고, 내세에서는 만인 구원을 이룩할 수 있다고 생각하였다. 안중근의 이러한 인식은 매우 주체적이었다. 당시 한국에서 선교 중이던 프랑스 선교사들은 하느님의 나라와 세상의 나라를 엄격히 구분하는 전통신학을 공부한 이들이었다. 이 신학에서 강조한 것은 오직 초월주의적이고 경건주의적인 신앙에만 충실하는 것이었고, 교회가 현실 문제에 참여하는 것은 영성생활을 저해하는 위험한 것으로 판단하였다. 따라서 당시 한국 천주교회에서 활동 중이던 프랑스 선교사들은 정교분리 원칙을 선교 방침으로 채택하여 천주교 신앙을 내세에서 구원으로만 가르치고 있었다. 빌렘 신부도 예외는 아니었다.

안중근은 빌렘 신부를 도와 동포를 대상으로 선교활동을 전개하면서 민족의 수난과 고통을 외면한 채 현실에 안주하고자 하는 제도교회의 선교정책에 비판의식을 갖게 되었다. 그는 인간의 영혼과 육신, 현세와 내세, 그리고 개인과 사회를 총체적으로 구원하고자 하는 신앙관을 가지게 되었다.

천주교 사상에 기초한
민권의식과 민중의식에 눈을 뜨다

안중근은 정신적 스승인 빌렘 신부를 도와 황해도 각지에서 선교활동을 펼쳤다. 선교활동 과정에서 안중근은 유교사상을 믿는 유생의 신분에서 점차 서양 종교를 신봉하는 천주교도로 변해갔다. 그러나 안중근은 일상생활이나 사유체계에서 여전히 유교의 영향을 발휘하고 있었다. 따라서 서양 종교를 받아들인 상태에서 안중근은 동양적 측면과 서양적인 측면을 모두 수용한 동도서기적인 근대지식인으로 거듭나게 되었다.

개화 성향의 부친 안태훈 밑에서 성장한 안중근은 개화파가 이루려 했던 문명개화에 깊은 관심을 가졌다. 갑신개화파의 실각과 함께 곤경에 처하여 해주부에서 신천군 청계동으로 이주해야만 했던 그의 집안에서 천주교는 개화문명을 전달하는 중요한 매개체였다. 그의 천주교 수용은 문명개화의 수용과 궤를 같이하였다. 천주교인들과 함께 천주교를 통해 한국을 문명국으로 건설하려는 민족문제에 대한 인식을 심어주었다. 이를테면 그는 부친의 영향으로 유교적 소양과 개화 지식을 토대로 천주교 신앙을 수용하였고, 천주교회와 천주교 신앙 및 황해도 천주교인들의 지지를 기반으로 민권운동을 전개하였다.

안태훈이 청계동에 세운 성당을 담당하던 빌렘 신부로부터 가르침을 받으면서 안중근은 점차 대한제국의 사회문제에 개안하게 되었다. 그는 황해도 인근 천주교도들의 민원을 대신 해결해 주는 '총대總代'의 역할을 수행하면서 점차 민권의 문제를 자각하였다. 그는 나중에 뤼순감옥에서 집필한 자서전에서 '민권', '민권자유', '민권확립' 등을 누차 언급하고 강조하며 자유민권론자의 모습을 보였다. 이는 그 자신이 1906년 애국계몽운동을 전개하기 이전에 황해도와 서울에서 전개한 민권운동의 경험에 기초하고 있었다.

안중근의 민권운동은 천주교 사상 및 공동체와 긴밀한 연관을 갖게 되었다. 그의 민권운동은 지방관청과 향촌유력자의 탄압에 시달리는 천주교 신자들을 보호하려는 의도에서 나왔다. 황해도 신천군과 인근 지역을 기점으로 하여 점차 황해도 전역으로 나아가 서울 지역으로 확대되어 나갔다. 물론 그의 민권운동은 일정 부분 천주교세의 신장을 목표로 하는 선교 활동의 일환이었다는 특징을 지닌다.

안중근은 천주교 사상과 포교 활동을 통해 근대적인 민권의식을 키워 나갔다. 그는 천주교 교리를 통해 인간이 가장 존엄하고 따라서 모든 인간이 평등하다는 천부인권의 논리를 깨달았다. 당시 대한제국 사회는 지방관리들의 탐학과 부정부패, 향촌유력자들의 착취와 탄압으로 일반 민중들의 생존권이 크게 위협받는 상황이었다. 이에 안중근은 어떻게 하면 대한제국을 당당한 문명 독립국으로 만들어 민권의 자유가 향유되는 나라로 만들 것인가 하는 문제에 깊은 관심을 보였다.

안중근은 열정적인 교회활동과 신실한 신앙심을 바탕으로 향리에서 천주교 신자들의 신임을 얻었다. 그런 다음에 그는 황해도 천주교 신자들의 권익을 보호하기 위해 앞장서서 활약하며 천주교 신앙과 민권의식을 성장시켜 나갔다. 당시 그는 황해도 천주교회를 비방하고 천주교도에게 피해를 주고 있는 금광감리金鑛監理 주가朱哥를 혼자서 찾아가 징치懲治하였다. 금광의 인부 400~500명이 몽둥이와 돌을 가지고 주가를 구하려 하였으나 안중근은 담대한 목소리로 그들에게 사리를 들어가며 꾸짖어 물리치고 주가에게 경계를 내렸다.

또한 그는 서울 사는 전 참판 김중환金仲煥이 옹진군민의 5천 냥을 빼앗아 간 일을 해결하기 위해 그의 집을 방문하여 따졌다. 나중에 5천 냥을 갚겠다는 김중환에게 안중근은 관료의 사명감을 거론하며 압박한 결과 조속히 돈을 돌려주겠다는 확답을 받아냈다. 또한 안중근은 해주부 지방대장병영 위관尉官 한원교韓元校가 옹진군민 이경주李景周의 집과 재산, 아내를 강제로 빼앗은 일을 해결하기 위해 이경주와 함께 상경하여 한원교를 찾아가 힐문하였다. 이때 한원교가 오히려 이경주를 잡아 가두고 이어 자신까지 잡아 가두려 하자 안중근은 문명시대에 죄 없는 자신 같은 사람에게 야만의 법률을 사용할 수는 없다고 강하게 항변하여 자리를 피하였다. 이때 안중근은 부친의 병환 소식을 듣고 부득이 고향으로 돌아가면서 독립문 밖에서 "언제나 정부를 개혁하여 난신적자를 쓸어 버리고 민권의 자유를 얻을 것인가" 하는 한탄을 토로하였다. 비록 부친의 병환으로 이경주 문제를 해결하지는 못했지만 총대로서 그의 행동 목표는 문명독립국 건설과 민권자유 획득에 있었다.

민족문제에 대한 안중근의 의식을 일깨운 것은 동학농민군을 토벌하고 사용해버린 군량미 때문에 곤경에 처해 있던 자신의 집안이 프랑스 선교사들이 관할하는 천주교회의 도움으로 해결되면서부터였다. 안중근의 부친이 프랑스 선교사에게 몸을 의탁하였던 것은 러시아·독일·프랑스 등 서구 제국주의 세력들과 한국의 관계에 대한 인식에서였다. 안태훈은 서구 제국주의 세력을 이용하여 자신의 문제를 해결하였다. 그러나 서구 제국주의 세력에 대한 안태훈의 인식은 대단히 단순하고 소박했다. 그는 서구 열강이 한국을 침략할 수 있다고 인식하기보다는, 그들을 통해 한국을 근대화시킬 수 있다는 소박한 믿음을 가지고 있었다. 따라서 서구 제국주의 세력을 이용하여 한국의 근대화를 이룩하고자 하였고, 이런 입장에서 서구 선교사들이 전하는 천주교를 받아들이고 서구 지식을 수용하였다. 동학농민군을 토벌할 때만 하더라도 안중근은 동학농민군의 봉기가 상당 부분 일본과 청나라 등 외세의 침탈에 연유한 사실을 인식하지 못하였다. 그러나 곤경을 타개하고 한국의 근대화를 위해 서구 세력을 이용하고자 하였던 부친의 선택은 안중근에게 향리 안에만 머물러 있던 소박한 사고방식에서 탈피하는 결정적인 요인이었다.

안중근이 외국 세력에 침탈되어가는 한민족의 권리를 인식하고 그 권리를 수호하기 위해 직접 나선 것은 해서교안이 한창일 때였다. 해서교안으로 체포 압력이 가해오자 피신하였던 안태훈이 안악읍에 있던 청나라 의사 서가舒哥(일명 서원훈舒元勛)로부터 봉변을 당한 사건이 발생하였다. 사건을 전해들은 안중근은 서가를 찾아가 항의하였고 칼을 빼어들고 달려드는 서가를 법사法司에 고발하였다. 하지만 법관은 서가가 외국인이기 때문에 재판할 수 없다고 하였고, 안중근은 돌아올 수밖에 없었다. 그런데 며칠 후 서가가 안중근과 함께 그를 찾아갔던 이창순李敞淳의 집에 침입하여 행패를 부리고 이창순의 부친을 잡아가려 하였다. 사건의 진상은 서가의 호소로 진남포 청국 영사가 청국 순사 2명과 한국 순검 2명을 안중근의 집으로 파송하여 잡아오게 하였는데 안중근의 집으로 가는 대신 이창순의 집에 갑자기 침입했다. 안중근은 청국 영사가 그 사건을 서울의 청국 공사에게 보고하여 한국 외부에 조회하리라는 것을 알고 전후 사실을 들어 외부에 청원, 진남포재판소에서 승소 판결을 얻어냈다.

안중근이 자신의 권리를 찾기 위해 재판소에 청원할 수 있었던 것은 해서교안을 겪으면서 빌렘 신부가 한국조정을 상대로 교안을 해결하는 방법을 오랫동안 지켜보면서 배웠기 때문이었다. 특히 이 사건은 같은 민족인 한국의 정부와 관리를 대상으로 민권을 획득하기 위해 노력하였던 안중근의 시야를 넓히는 직접적인 계기였다. 이는 한국인의 권리를 침탈하는 대상이 한국인이 아니라 청나라 사람이라는 인식, 청나라 사람이 한국 땅에서 한국인을 대상으로 자행하는 악행에 대한 인식이었기 때문이다.

이 사건은 안중근에게 외국에 대한 인식을 새롭게 하는 계기가 되었다. 안중근의 향리에 머물러 있던 인식은 한계를 넘어, 민을 수탈하는 한국인 관리를 대상으로 하는 권리수호를 넘어, 지역적으로는 서울로, 권리회복 대상으로는 청나라 사람으로 확대되었다. 곧 권리 회복은 문명국 건설이었고, 문명국 건설은 천주교를 통해 이룰 수 있다고 인식했다.

러일전쟁이 일어나자
민족의 장래를 고민하다

러일전쟁은 일제가 러시아 남하정책에 대항해 1904년 2월 8일 러시아에 최후통첩을 하고 선전포고도 없이 인천과 중국 뤼순항에 정박 중인 러시아 군함을 기습 공격하면서 시작되었다. 일제는 바로 일본 육군을 서울에 진주시키고 2월 23일 한일의정서를 체결시켰다. 일제가 한국에 대해 시정施政을 충고할 수 있는 권리와 한반도에서 군사행동의 자유, 이 협정에 위반되는 협약을 제3국가 체결할 수 없다는 것 등을 내용으로 하는 한일의정서는 한국 보호국화의 첫발이 되었다. 이 협정을 근거로 일제는 군용으로 한국의 광대한 토지를 군용지로 점령하고 각종 철도 부설권도 강제로 빼앗아 갔다.

일본군은 1905년 1월 뤼순과 3월 펑톈에서 러시아군대를 몰아내고 바다에서도 러시아 발틱함대를 격파하면서 러일전쟁의 승기를 잡았다. 러시아는 군대반란 등으로 내전이 발발하였고 일제도 전력의 고갈로 더 이상 전쟁을 끌 동력을 상실하게 되었다. 같은 해 8월 미국의 중재로 러시아와 일본은 포츠머스에서 강화회의를 열고 휴전에 이르렀다. 10월에는 미국 육군장관 태프트와 일본 총리 가쓰라는 "미국은 일본이 조선에 대한 보호권을 확립하는 것이 러일전쟁의 논리적 귀결이며 극동의 평화에 직접 공헌할 것으로 인정한다"는 '가쓰라 – 태프트 밀약'을 체결했다. 미국을 등에 업고 일제는 11월 17일에는 한국의 외교권을 박탈하는 을사늑약을 체결하면서 한국의 국권을 탈취했다.

러일전쟁은 안중근에게도 나라와 민족을 다시 생각하게 하는 계기가되었다. 이는 빌렘 신부로부터 러일전쟁의 승자에 의해 한반도가 지배받을 것이라는 아래와 같은 말을 듣고부터 시작되었다.

세월이 지나 1905년 을사년을 맞았다. 인천항에서 일본과 러시아 두 나라가 대포소리를 크게 울려 동양의 일대 문제가 터져 일어나게 되었다는 통신이 들려왔다. 홍 신부는 한탄하면서 "한국이 장차 위태롭게 되었다" 하였다. 내가 "왜 그러합니까"라고 묻자 홍 신부가 말하기를, "러시아가 이기면 러시아가 한국을 주장하게 될 것이요, 일본이 이기면 일본이 한국을 관할하려 들 것이니, 어찌 위태롭지 않겠는가?" 하는 것이었다. 그때 나는 날마다 신문과 잡지와 각국 역사를 상고하며 읽고 있어서 이미 지나간 과거나 현재나 미래의 일들을 추측했었다.

– 『안응칠역사』

안중근은 『황성신문』, 『대한매일신보』, 『제국신문』, 『공립신문』 등의 신문과 『태서신사泰西新史』 등 각국의 역사책을 읽으며 국내외 정세를 파악하며 민족의 진로를 모색했다. 그는 "한국 인민은 러일전쟁 전까지 호개好個의 친우로 일본을 좋아했고 한국의 행복으로 믿고 있었다. 우리들도 결코 배일사상 같은 것은 가지고 있지 않았다"고 밝혔듯이 러일전쟁 이전까지는 배일사상을 가지고 있지 않았던 것 같다. 그러나 러일전쟁을 통해 일제가 한국 침략과 식민지화를 위한 목적인 것을 깨닫고 철저한 배일사상을 가지게 되었다.

보안회輔安會에 입회하기 위해 서울로 가는 것이 배일의 첫걸음이었다. 1904년 7월 창립된 보안회는 일제의 황무지개척권 등 이권 침해에 대항한 단체였다. 안중근은 보안회 사무실을 방문해 그 주의 방침의 부진함을 비판하고 다음과 같이 일본 관리의 처단을 하자고 제안했으나 임원진으로부터 받아들여지지 않았다.

나에게 지금 결사의 부하 50명이 있다. 만약 보안회에서 결사대 20명을 모아 나와 일을 같이하게 된다면 서울에 있는 일한 관리를 도살하고 나아가 일본으로 건너가 일본 당무자를 암살하여 그 압박을 면케 하는 것은 손바닥을 뒤집는 것보다 쉽다.

국내에서 동조세력을 얻지 못하자 안중근은 중국에서 활동 중인 한국인들을 주목했다. 외국인 신부를 통한 일제의 한국 침략 실상과 한국인의 국권 회복을 도모하려는 활동상을 널리 알리려는 노력도 병행되었다. 부친과 상의한 내용은 당시 인식과 목적을 그대로 보여준다.

산동山東·상하이上海 등지에 한인이 많이 살고 있으니 우리 집안도 역시 그곳으로 옮겨 살다가 전후의 방책을 도모한다면 어떻겠습니까? …… 제가 먼저 그곳을 살피고 돌아올 것이니 아버지께서는 그 사이 비밀히 짐을 꾸려서 집안 사람들을 이끌고 진남포로 옮겨 제가 돌아오는 것을 기다리신 다음에 이 일을 행하도록 하시죠.

안중근은 1905년 말에 구국운동의 뜻을 펴고자 고국을 떠나 중국 동부 해안지방의 웨이하이威海衛·상하이 등지를 돌아다니며 동지를 구하고 해외 정세를 관찰하였다.

외국에 나가 있는 동포들의 교육을 할 것을 계획하고 있었고, 또 나는 의병으로 본국을 나와 한국의 국사에 대해 분주하고 있었다. 이 생각은 수년 전부터 있었지만 절실히 그 필요를 느낀 것은 러일전쟁 당시이며, 지금부터 5년 전에 을사늑약과 3년 전에 정미7조약이 체결되었으므로 더욱 분격하여 지금 말한 목적으로 외국에 나갔던 것이다.

그러다가 상하이 천주교당 앞에서 프랑스 출신의 르각(Le Gac, 郭元良) 신부를 우연히 만났다. 이때 르각 신부는 한국의 국권 회복을 위해서는 교육 발달, 사회 확장, 민심 단합, 실력 양성 등 4가지를 힘써야 한다고 역설하였다. 안중근은 이를 굳게 따르기로 결심하였다.

"가족을 외국으로 옮긴다는 것은 잘못된 계획이다. 2천만 민족이 모두 너

같이 한다면 나라 안은 온통 빌 것이니, 그것은 곧 원수가 원하는 바를 이루어주는 것이다. 우리 프랑스가 독일과 싸울 때에 두 지방을 비어 준 것은 너도 아는 바이다. 지금까지 40년 동안에 그 땅을 회복할 기회가 두어 번이나 있었지만 그곳에 있던 유지당(有志黨)들이 모두 외국으로 피해 갔었기 때문에 목적을 달성하지 못하였다. 그것으로써 본보기를 삼아야 할 것이다. 또 해외에 있는 동포들로 말하면 국내 동포들에 비해서 그 사상이 배나 더하여 서로 모의하지 않아도 같이 일할 수 있으니 걱정할 것이 없으나, 열강 여러 나라의 움직임으로 말하면 혹시 네가 말하는 억울한 설명을 듣고서는 모두 가엾다고 하기는 할 것이나, 그렇다고 한국을 위하여 군사를 일으켜 성토하지는 않을 것이다. …… 너는 속히 본국으로 돌아가 먼저 네가 할 일이나 하도록 해라. 첫째는 교육의 발달이요, 둘째는 사회의 확장이요, 셋째는 민심의 단합이요, 넷째는 실력의 양성이다." 이 4가지를 확실히 성취시키기만 하면 2천만의 정신의 힘이 반석과 같이 든든해서 비록 천만 개의 대포를 가지고서도 능히 공격하여 깨트릴 수가 없을 것이다. 그 말을 다 들은 뒤에 나는 대답하되 "선생님의 말씀이 다 옳습니다. 그대로 따르겠습니다" 하고 진남포로 돌아왔었다.

-『안응칠역사』

안중근은 상하이에서 민영익(閔泳翼)을 찾아갔지만 문전박대를 당했다. 안중근은 "공은 한국에서 여러 대에 걸쳐 국록(國祿)을 먹은 신하로서 이러한 어려운 때를 만나, 전혀 사람 사랑하는 마음이 없이 베개를 높이고 편안히 누워 조국의 흥망을 잊어버리고 있으니, 세상에 어찌 이 같은 도리가 있을 것인가. 오늘날 나라가 위급해진 것은 그 죄가 모두 공들과 대관들한테 있다. 민족의 허물에 달린 것이 아니기 때문에 얼굴이 부끄러워서 만나지 않는 것인가"라고 책망하기를 주저하지 않았다. 그럼에도 대응은 전혀 없었다. 실망에 실망을 거듭하는 참담한 심정이었으나 다른 방도를 모색할 수 없는 상황이었다. 그리고 서상근徐相根으로부터 "나는 단지 장사꾼으로 입에 풀칠이나 하면 족하니 나에게 다시 정치 이야기는 하지 마시오"라는 답변을 들었다. 한국의 장래는 자기와 전혀 상관없다며 민영익과 같은 반응을 보였을 뿐이다. 이에 "만일 국민이 국민된 의무를 행하지 아니하고서 어찌 민권과 자유를 얻을 수 있으리오"라고 충고하면서 "지금은 민족세계인데 어째서 홀로 한국 민족만이 남의 밥이 되어 앉아서 멸망하기를 기다리는 것이 옳겠소"라고 서상근을 타일렀다. 안중근은 국외에서 국권회복운동이라는 환상에서 깨어날 수밖에 없었다. 즉 상하이 한인들은 기대와 달리 자신들 안위에만 전전긍긍하고 있었다. 국외 한인들과 연대는 사실상 불가능하다는 냉혹한 현실을 직접 체험하는 순간이었다. 게다가 아침기도를 하러 들렀던 성당에서 만난 르각 신부의 조언은 일본의 침탈을 알림으로써 외국의 군사적 원조를 얻어내려 하였던 그의 생각이 얼마나 비현실적인가를 깨닫게 해주었다. 황해도 재령 지역에서 선교활동을 하였던 르각 신부는 당시 안중근과 상당히 밀접한 관계를 맺었던 것 같다. 르각 신부는 안중근의 국외 이주를 강력 반대하였다.

1906년 1월 부친이 서거하자 안중근은 급히 귀국하여 거처를 진남포로 옮기고 애국계몽운동에 진력하였다. 부친 사망은 안중근에게 커다란 충격으로 다가왔다. "그때 나는 술을 끊기로 맹세했고, 대한이 독립하는 날까지로 기한을 정했다"라고 한 회고에서 착착한 심정을 엿볼 수 있다. '음주가무를 즐기는' 호방한 안중근으로 중대한 결심이었다. 동시에 일생을 독립투쟁에 바치겠다는 자신의 의지도 새롭게 다짐하는 계기였다.

교육구국운동과 학회활동을 전개하다

1906년 3월경 안중근은 상하이와 평양에 가까운 무역 요지인 진남포에서 사재를 기울여 교육활동을 벌였다. 이미 안중근은 상하이 망명 이전에 서울의 뮈텔 주교에게 천주교대학을 설립하자고 요청했을 정도로 교육에 남다른 관심을 보였던 터였다.

안중근은 "교육을 미리 대비하여 훗날을 위한 준비를 하고, 갖가지 일에 힘을 써서 실력을 기른다면 대사라 해도 쉽게 이룩할 것"이라는 신념으로 교육구국운동을 전개하였다. 직접 사립학교를 설립하거나 기존 설립된 사립학교를 인수·운영하는 등 근대교육 보급에도 적극적이었다. 진남포성당 부설인 영어야학에 대한 후원은 이를 입증한다.

증남포성당 안에 학교를 창설하고 자녀를 교육하니 열성으로 각 교우가 얼마씩 보조하여 신학문을 가르치는데 학도가 오십여 명이오 또 방판 오일환 씨는 본시 서울 사람으로 증남포해관에서 사무를 보고 교육의 열심히 지극하여 야학교를 성당 안에 설시하고 자기 집에 역낭 틀이 있으며 풍우를 불석하고 가르치는 고로 영어학도가 근 사십 명인데 교우 안중근 씨는 학교부비를 당한다더라.

－『경향신문』 1907년 4월 1일 평안보

교인들은 성당 부설인 영어야학에 대한 후원을 아끼지 않았다. 해관에 근무하는 오일환吳日煥은 명예교사로서 활동하는 등 열성을 다하였다. 40여 명에 달하는 재학생은 이를 반증한다. 안중근은 교사인 오일환에게도 "한국의 장래를 위해서 공부를 해야 한다"고 학문의 중요성을 강조했다. 또한 운영비를 지원하고 어학교육 특히 영어 보급에 적극적이었다. 삼흥학교三興學校(뒤에 오성학교五星學校로 개칭)를 '영어삼흥학교'라고 한 보도는 이와 관련하여 많은 시사점을 던져준다.

안중근은 진남포 천주교 본당에서 운영하던 초등교육기관인 돈의학교敦義學校와 영어도 가르친 삼흥학교의 교무와 재정을 맡았다. 이때 그의 동생 안정근도 형의 뒤를 이어 오성학교에서 교육을 담당하였다.

삼화항三和港에 거주하는 안중근 3형제가 사립삼흥학교를 설립하고 전후 경비를 스스로 부담한 지 여러 해가 되었는데, 그러던 중 50~60명의 생도를 수용하기 어렵게 되었다. 안씨가 학도들에게 격려하여 말하기를, "하늘이 다행이 감읍함이 있으면, 장차 큰 일이 있을 것이니, 반드시 너희들이 성취할 날이 올 것이다"라고 가슴을 쓰다듬으며 울기를 자주 하더

니, 재령에 거주하는 안씨의 처남 김능권씨가 학교의 정형을 듣고 감격한
마음을 이기지 못하여 소유하고 있던 전답을 팔아서 1만 5천량을 마련하
여 30여 간 집을 마련하여 삼흥학교에 기부하니 어찌 다행이 아니겠는가.

-『대한매일신보』1907년 5월 31일 잡보

이는 자주적인 독립국가를 찾으려는 의지의 발로이자 궁극적인 목적
이었다. 문무쌍전에 입각한 인재양성은 이상적인 지향점이나 마찬가지
였다. 상무정신 고취를 통하여 장차 구국간성인 독립군을 양성하려는
의도는 이러한 인식에서 비롯되었다. 또한 학문의 목적은 개인적인 성
공이 아니라 국가 발전을 위한 저변 구축에 있었다. 곧 삼흥학교는 사흥
土興·민흥民興·국흥國興을 지향한 민족교육기관이었다. 단순한 지식 배양
에 그치지 않고 민족 위기를 극복하려는 강력한 의지는 여기에서 부분
적이나마 찾아진다. 인재를 육성하고 민족정기를 진작하는 동시에 부강
한 나라 건설은 궁극적인 목적이자 종착지였다.

1907년 4월에는 돈의학교를 인수하여 청소년들에게 근대교육의 기
회를 넓혀주었다. 이 학교는 원래 프랑스인 포리(Faurie, Jean Bpt, 방소
농) 신부가 운영하던 사립학교였다. 포리 신부가 떠나면서 르레드(Julius
Lereide) 신부에게 운영권을 맡겼지만, 부실하게 운영되는 등 사실상 방
치된 상태였다. 이 학교를 인수하여 교사 확장과 동시에 교원과 학생도
증원하였다. 초대 교장은 이평택李平澤, 제2대 교장은 안중근 자신이 맡
을 정도로 열성을 다했다. 교사는 임안당任安堂 부자와 진남포 외사경찰外
査警察 '순검 정씨' 등과 동지들로 충원되었다. 이들은 명예교사로서 봉사

안중근의 돈의학교, 삼흥학교 설립 기사(『대한매일신보』 1907년 5월 31일자)

활동을 최소한 '사회적인 책무'라고 인식할 만큼 고조된 분위기였다.

그의 교육방침은 국권수호를 위한 무력투쟁의 중요성을 인식시키는 데 역점을 두었다. '순검 정씨'는 명예교사로서 체조를 가르치는 등 이에 호응하였다. 그는 교련시간에 목총과 나팔·북 등을 활용하여 체력단련에 역점을 둠으로써 학생들에게 상무정신을 고취시켰다. 사실상 군사훈련에 버금가는 강도 높은 육체적인 단련은 매우 중시되었다. 이러한 교육활동은 곧바로 성과로 이어졌다. 1908년 9월 15일 평안도와 황해도에 소재한 80여 개교 연합운동회에서 돈의학교는 일등인 우등을 차지하였다. 당시 참가한 학생은 3천여 명, 학교 관계자는 1천여 명 등이었다.

관람객은 1만여 이상에 달하여 인산인해를 이루었다.

한편 서북지역 재경 인사들은 서우학회(후일 한북흥학회와 통합하여 서북학회로 개칭)를 조직하였다. 언론은 이러한 사실을 널리 보도하는 등 상당한 기대감을 나타내었다.

> 근일 발기한 서우학회는 그 취지를 이미 들어보니 서도西道 문명을 계발하기 위하여 서도 인사의 재경한 사람들은 물론 관민하고 거의 이 학회에 가입하여 서울에서 조직하고 서도 청년의 학문을 개발하는 기관이 된다는데 작일에 총회를 승동 김달하 집에서 개최하고 회원 100여 명이 집합하여 임원을 조직한다더라.
>
> ─『황성신문』1906년 10월 27일 잡보

김달하 집에서 개최된 총회에는 100여 명이나 참석하였다. 발기인 박은식朴殷植을 비롯한 김달하·정운복鄭雲復·노백린盧伯麟·김윤오金允五·김명준金明濬 등은 취지서를 발표하는 등 참여를 호소하였다. 이어 시급한 교사 양성을 위한 사범학교 설립도 발표했다. 서북 출신 재경유학생을 위한 강연회·토론회·운동회 개최는 애향심을 고취시키는 자극제이자 정보를 교류하는 교육현장이나 마찬가지였다.

안중근도 회원으로 가입하면서 교육구국운동을 전개할 수 있는 기반 구축에 나섰다. 서우학회는 "생존경쟁과 우승열패의 진화론을 적극 수용해 자보자전지책自保自全之策을 강구"해 인재양성과 국권 회복을 목적으로 했다.

안중근은 1907년 봄 부친의 친구인 김진사의 인도로 상경하여 그의 집에 몇 개월간 머물면서 민형식閔衡植·안창호·이동휘李東輝 등과 친교를 맺었다. 이어 5월에 안창호·이갑李甲·유동열柳東說 등과 함께 서울 동문 밖에서 열린 서우학회 친목회에 참석하였다. 그리고 진남포에서 안창호의 구국 연설을 듣고 그에게 인사를 드렸을 뿐 아니라 간도로 망명하기 전에는 그와 함께 수차례 배일 연설을 하기도 하였다. 이처럼 중앙에서 활약 중인 인사들과의 교류를 통해 안중근은 약육강식하는 동아세아의 국제 정세와 세계 대세를 파악하는 동시에 한국의 자주독립을 위한 독립운동의 필요성을 절감하게 되었다.

국채보상운동과
민족자본 진흥에 매진하다

안중근은 교육·계몽활동을 국권회복운동으로 승화·발전시키는 데 이바지하였다. 국채보상운동 참여는 대표적인 사례 중 하나이다. 국채보상운동은 일제가 대한제국 정부에 제공한 국채 1,300만 환을 상환한다는 목적에서 국민들 스스로 모금활동을 시작한 일종의 자립 경제를 지향한 민족운동이었다. 이 운동은 1907년 1월 대구광문사 사장 김광제金光濟와 부사장 서상돈徐相燉 등의 발의로 시작되었다. 이들은 「국채일천삼백만환보상취지서」라는 격문을 돌리면서 전국적인 관심사로 부각시켰다. 온 국민의 전폭적인 지지와 참여 속에서 거국적 항일민족운동으로 확산되었다. 신문·잡지 등이 선전·홍보 활동에 큰 역할을 담당하였다.

국채보상회 조직은 새로운 국민적인 관심사로 부각되었다. 서울의 국채보상기성회를 비롯하여 도·군·면 등 행정단위나 학교·회사·상인단체 등에 의하여 조직되는 분위기였다. 취지서 발표와 동시에 부녀자들에 의한 활동은 사회적인 반향을 크게 불러 일으켰다. 이는 각계각층으로 파급되는 '기폭제이자 전주곡'이었다. 고조된 분위기는 특정한 지역에만 한정되지 않았다. 상호간 조직적인 연대나 통일적인 계획안은 거의 없었다. 그럼에도 의연활동은 통감부 당국자의 상상을 초월하여 '들불처럼' 파급되었다. 국채보상을 위한 활동은 사회적인 책무를 다하는 '의무'로서 인식되는 분위기였다. 국난國難을 타개하려는 비장한 각오는 적극적인 참여로 귀결되었다. 군중이 운집한 '장날 빅뉴스'는 단연 국채보상과 관련된 문제였다. 각지에서 전개되는 양상은 구전으로 즉각 파급되었다. 국채보상을 위한 활동은 사회적인 책무를 다하는 '의무'로서 인식되는 분위기였다.

교육과 학회 활동할 때 대구에서 시작된 국채보상운동이 전국적으로 번져나가고 있었다. 안중근은 가족들에게 "국사는 공公이요 가사는 사私이다. 지부장인 우리 가정이 솔선수범치 아니하고는 다른 사람을 지도할 수 없다"고 하여 국채보상에 집안이 먼저 나설 것을 권유했다. 그리고 그는 그의 부인에게 국채보상으로 장신구 전부를 헌납하게 하였다. 모친 조마리아는 삼화항패물폐지부인회를 통해 은지환 4량, 은투호 2개, 은장도 1개, 은귀이개 2개, 은가지 3개, 은부전 2개 등 대금 20원을 의연했다.

주지하듯이 삼화항패물폐지부인회는 1907년 3월 14일에 조직되었다. 주요 인물은 삼화항 유지신사인 김경지金庚地·정익홍·백우형·김봉관·김문규金文奎·안적소 등의 부인이거나 어머니였다. 이들은 취지서를 통하여 자주적인 독립국가 건설을 국민 의무로서 인식하고 있었다.

…… 슬프고 또한 슬프다. 아마도 우리 인민의 발달이 적은 연고인 듯 대개 일개인이 남의 돈을 져서도 빚진 종이 되어 패가망신하기 일상적이거늘 하물며 전국이 남의 돈을 지고 이식이 밤낮 늘어가면 장차 어찌하오며 반드시 무슨 경우가 없으리오. 세상에 제일 무서운 것은 남의 돈밖에 또 있사옵나이까.

나아가 이 단체는 여성들의 사회적인 존재성과 책무를 강조했다. 여성도 2천만 동포 중 1인이다. 그럼으로 의무를 마땅히 수행해야 하는 존재임과 동시에 여성의 힘으로 난관을 극복하는 주역으로서 역할은 당연하다는 논리였다. 국채보상운동은 외채 상환은 물론 "세계에서 제일 상등국 국민"으로 도약하는 계기를 삼자고 역설하였다.

이렇게 안중근 집안의 국채보상 참여 소식은 관서 지역에서 국채보상운동 활성화에 커다란 역할을 하였다. 일반 민중들로 하여금 국채보상금을 자진 헌납하게 하는 한편, 평양 인민 1천여 명을 명륜당에 모아놓고 국채보상금을 직접 모금하기도 하였다. 일반인들에 이어 학교까지 퍼져 나가 삼흥학교 교장 한재호, 총무 김경지, 교사 김문규 등과 학생들은 43원 60전의 의연금을 기탁했다.

안중근이 당시 개괄적인 상황을 기록한 자서전을 통하여 어느 정도 활동상은 짐작할 수 있다. 국채보상운동에 참여하면서 겪었던 사건 중 일본인 형사와 일화를 다음과 같이 회고했다.

한인韓人이 발기한 국채보상회는 앞을 다투어 돈을 내는 사람이 많았다.

그것을 아는 것은 갚아야 하는 것이요 급채給債라는 것은 갚지 않아도 되는 것인데, 무슨 불미한 일이야 있을 수 있겠는가. 이 같은 시샘은 하지 말라. …… 이처럼 까닭 없이 욕을 본다면 2천만 겨레들이 앞으로 더 많은 압제壓制를 면하지 못할 것이니 어찌 이 같은 나라의 수치를 달게 받을 수 있을 것인가.

이때 안중근은 국채보상운동을 위한 필요한 자금 마련을 위해 경제활동도 활발히 전개하였다. 평양에서 미곡상과 한재호·송병운宋秉雲 등과 삼합의三合義(일명 삼합회)라는 석탄 채굴 판매회사를 설립하여 운영했다. 그러나 자금 조달과 운영권 등을 둘러싼 갈등과 일본인들의 방해로 수천 원의 손해를 보고 좌절되었다. 이러한 회사 운영은 민족주의적 식산흥업의 성격을 지닌 것으로서 계몽운동의 일환으로 전개된 것이었다.

국내 활동에 동지들이 후원하다

안중근의 교육·계몽활동 등은 동지들의 후원에 힘입은 바가 적지 않았다. 김능권은 안중근의 처남으로 가장 열성적인 경제적·정신적인 후원자였다. 삼흥학교가 경비난에 직면하자, 15,000냥에 달하는 기와집 30칸을 구입하여 교사로 제공하였다. 교육 시설 확충과 더불어 교육 내실화를 도모할 수 있었던 이유도 여기에 있다. 김능권은 서북학회 회원으로 계몽운동을 위한 의연금 모금에 적극적이었다. 안중근 두 동생의 학비와 생활비 지원도 그의 몫이나 마찬가지였다. 안중근 가족이 하얼빈으로 이주하는 데 필요한 모든 경비는 그의 경제적인 후원에 의하여 가능할 수 있었다. 해방 이후 안중근추모사업에도 적극 참여하는 등 '안중근 정신' 선양에 앞장섰다.

오일환은 진남포에 설립된 삼흥학교와 영어야학 명예교사로서 활동하였다. 그는 1895년 4월 관립한성영어학교에 입학하여 4년간 수학한 후 1899년 5월 졸업과 동시에 양지아문 견습생으로 피선되었다.[1] 동년 12월 20일 견습과정을 수료한 후 양지아문 기수보技手補로 첫 관직을 발령받았다. 1901년 지계아문 기수技手로 승진했다. 1903년 2월 인천해관 서기를 거쳐 동년 11월에는 탁지부관제정리 업무를 담당하는 등 재정 관련 부서에서 근무했다. 1904년 7월에는 농상공부임시박람회사무소 주사로 임명되었다가 다시 1906년 진남포 해관 주사로 승진·전보되었다. 1908년 관제개혁에 의해 8월 사직하였다가 9월 재원조사국 주사에 임명되었으나 얼마 후 사직하고 말았다. 그는 이후 천주교 단체 등에서 활동하는 교인이었다. 1909년 8월에는 서학현西學峴 영국교당 내에 성경·영어·일어·산술 등을 가르치는 성공개진야학聖公開進夜學을 설립하였다. 이원창李源昶·김문식金汶植·최피득崔彼得 등과 명예교사로서 활동하는 등 교육활동가로서 명성을 얻었다.

오일환은 관직 재직 중 서우와 서북학회 회원으로도 활동하였다. 그는 일찍부터 민지계발民智啓發을 위한 다양한 실천력을 겸비한 인물이었다. 1903년 3월부터 8월까지 민영환閔泳煥이 설립한 흥화학교 야간반인 영어과를 맡아 가르쳤다. 동생 오경환吳景煥도 1910년 경 평북 영변에서 미국인이 운영하던 미이교회美以敎會 부속병원에서 의학을 견습하고 있었다. 오일환은 1905년 해관 재직시 보동학교 야간 일어반에서 6개월간 수학하는 등 학문적인 열정이 대단하였다. 안중근이 진남포 이주한 후 삼

---

1   국사편찬위원회, 「오일환」, 『대한제국관원이력서』, 탐구당, 1972, 911쪽.

흥학교를 설립한 무렵에 두 사람은 만났다. 그는 이웃에 거주하면서 안공근에게 영어를 가르치는 한편 명예교사로서 자원을 마다하지 않았다.

정대호는 1884년 1월 2일 서울 종로구 중학동에서 부친 정계성鄭繼聖과 모친 김씨 사이에서 태어났다. 1893년부터 한학을 공부하다가 1895년 4월부터 오일환과 함께 관립한성영어학교에 입학·수학하면서 인연을 맺었다. 그는 흥화학교 야학과에도 재학하는 등 근대교육 수용에 열성적인 인물이었다. 1903년 8월부터 진남포 해관에서 근무하다가 오일환 소개로 안중근을 만났다. 1908년 8월 31일자로 세무주사에서 면직되었고 9월부터 다시 수분하綏芬河 세관에 재직하면서 이듬해 10월 안중근의 부탁을 받고 그의 가족을 만주까지 안전하게 망명시켰다. 이로 인하여 일경에 체포되어 옥고를 치렀다.

그는 1912년 국민회 하얼빈 지방총회장과 부회장으로 있다가 일경에 체포·송환되었다. 1916년 천진으로 망명하였다가, 상하이로 이주하여 1919년에 상하이임시정부 임시의정원 경기도 의원에 선출되었다. 동년 11월에는 대한적십자회에 가담하여 회원 모집에 노력을 기울였다. 1921년에 신한청년당에 가입하여 『신한교육보』 발간에 앞장섰다. 1923년에는 쑨원孫文의 부탁으로 수마트라섬 팔림방시 화교학교 교장으로 취임한 후 화교로부터 군자금을 모집하였다. 1925년에는 싱가포르에 있는 화교학교인 돈암학교에서 근무하는 등 화교사회 교육운동을 주도하기도 했다. 그는 1940년 8월 이곳에서 56세를 일기로 순국한 독립운동가였다. 정대호가 중국 등지에서 활동하여 이룬 한중 양국의 국제적인 연대는 안중근이 꿈꾼 동양평화론을 부분적이나마 실현한 성과물이었다.

　김문규는 천주교 신자라는 인연과 상기 2명과 같은 직장 동료라는 인연으로 안중근과 인간적인 관계를 맺었다. 정대호가 수분하로 간 뒤 김문규를 통하여 가족과 서신 연락을 할 수 있었다. 두 아들과 부인 등 가족을 안전하게 하얼빈으로 망명시키는 데 필요한 서신도 그를 통하여 전하였다. 두 사람은 아주 절친한 관계로 흉금을 터놓는 사이였다. 안중근도 교인 중 김문규에게 편지를 보낼 정도로 긴밀한 유대 관계에 있었다. 이는 삼흥학교 교사로 재직하면서 상호 신뢰를 바탕으로 동지적인 관계로 발전하였다.

　삼흥학교 교장을 역임한 한재호는 1900년 시종원 분특어分特御에 임명된 지방유지였다. 1903년 3월에는 중추원 의관에 올랐다. 당시『황성신문』속간에 즈음하여 삼화항 증남포신상회사 사원들과 함께 의연금을 내는 등 문명사회 건설에 노력을 아끼지 않았다. 1906년 6월에는 오윤민吳潤民 등과 평양수형조합진남포지소平壤手形組合鎭南浦支所를 설립하여 김영권金永權과 평의원에 피선되었다. 이는 민족자본을 육성하려는 일환에서 비롯되었다. 안중근은 진남포로 이거한 이후 그와 친분 관계를 맺었다. 삼흥학교 설립과 동시에 교장을 맡는 등 민족교육 시행에도 적극적이었다. 그는 안중근의 민족교육이념을 교육현장에서 실천하였다. 교직원과 학생들의 일본 유학생 단지동맹에 대한 의연과 국채보상운동 참여는 이를 입증한다.

　김경지는 삼흥학교 총무(일명 주무원 – 필자주)로서 학교 설립과 운영 실무를 맡았다. 본명은 김호근金浩根이었는데, 1903년 3월 김경지로 개명하였다. 삼화항 신상회사 사원으로 재직하던 중 『황성신문』 속간에 즈음하여 5원을 의연하는 등 계몽운동에 적극적이었다. 『대한매일신보』 한글판 발간에 대하여 기고문을 투고하는 등 한글 보급에도 지대한 관심을 보였다. 한글 교육에 대한 강조는 근대교육 보급과 활성화를 도모하려는 의도였다. 이후 김정현金貞鉉·김상찬金相燦 등과 진남포공립보통학교 교원으로 재직하는 등 교육가로서 명성을 얻었다. 1920년대에는 과수원 재배자로서 새로운 재배법 개발 등으로 농가계에 많은 도움을 주었다.

북간도와 블라디보스토크에서
계몽운동에 종사하다

국내에서 교육과 국채보상운동 등의 활동은 일제의 방해와 탄압에 의해 일제의 침략을 저지하는 데 한계를 느끼면서 안중근은 다시 국외로 시선을 돌렸다. 더욱이 1907년 7월 일제가 고종황제를 퇴위시키고 한일신협약을 강제로 체결한 것에 더 깊은 좌절에 빠져들었다. 외교권을 빼앗은 일제는 군대 해산, 신문지법과 보안법의 공포 등으로 대한제국의 군사, 행정, 사법 등을 송두리째 박탈해 갔다.

이즈음 부친의 친구 김진사의 권유도 안중근이 해외로 망명하여 민족운동을 벌이게 하는 촉진 역할을 하였다. "지금 백두산 뒤에 있는 서북간도와 러시아 영토인 블라디보스토크 등지에 한국인 100여만 명이 살고 있는데, 그곳은 물산이 풍부하여 과연 한번 활동할 만한 곳이 될 수 있네. 그러니 그대 재주로 그곳에 가면 뒷날 반드시 큰 사업을 이룰 것이네"라며 해외로 망명하여 민족운동을 벌일 것을 권했다. 이에 안중근은 "꼭 가르침대로 수행하겠습니다"라고 말하고 얼마 후에 일체의 사업을 접고 가족과 작별하고 서울로 올라갔다.

서울에서 안중근은 서우학회 발기인이자 서북학회의 총무를 지낸 김달하 집에 몇 개월간 머물렀다. 그는 김종한·민형식 등 고관 출신들과 안창호·이동휘 등 서우학회의 계몽인사들과 친교를 맺고 활동하며 지사로 자임하였다. 목적지인 간도로 가는 데 필요한 모든 비용을 민영휘의 양자인 민형식과 김달하의 아들인 김동억 등으로부터 받았고, 서울을 떠날 때에는 김동억과 동행하였다. 그리고 북간도행을 결행하기에 앞서 원산의 브레(Aloysius Bret, 白類斯) 신부 앞으로 보내는 빌렘 신부의 소개장을 얻었다.

1907년 8월 1일 남대문에서 한일병이 충돌하던 날 안중근은 서울을 출발하여 부산 초량의 객주가에서 1~2일 유숙하고 신호환神戸丸을 타고 원산으로 떠났다. 이미 그는 서울을 떠나기 직전에 군부 경기국장 이강하 집에서 아우 안정근에게 연해주 블라디보스토크로 가겠다는 의사를 밝혔다. 원산 시장에서 5~6일간 머무는 동안 안중근은 여러 번 원산본당의 브레 신부를 방문하였다. 그는 시국 문제에 대한 언급은 하지 않고 간도로 건너가겠다는 의사만을 나타냈으나 브레 신부는 간도는 아무런 정보가 없는 곳이라고 답하였다.

안중근은 8월 15일 교회기념일을 맞이하여 브레 신부에게 성사를 청하였다. 황해도의 빌렘 신부를 통해 안중근이 반침략 민족운동에 투신할 것이라는 사실을 전해들은 브레 신부는 "어떤 정치적 선동에도 가담하지 않겠다고 확실하게 약속하지 않았다"는 이유로 그의 성사 요청을 거절하였다. 대부분의 천주교 선교사들처럼 브레 신부는 정교분리주의와 정치불간섭주의 선교관을 고수하고 있었다. 이에 반해 안중근은 "국가 앞에는 종교도 없다"며 민족문제와 천주교신앙을 일치시켜 민족운동의 정신적 지주로 삼으려 하였다. 이처럼 선교관과 정치관의 차이로 말미암아 브레 신부는 안중근의 간도 행에 대해 매우 부정적이었다.

안중근은 8월 16일 북간도 룽징龍井에 도착하였다. 처음에 그는 간도에서 의병운동보다는 "민지계발을 통한" 계몽적 민족운동을 고려하였다. 그는 9~10월 두 달간 룽징·불동佛洞 등지에 머물며 한인들의 생활상을 시찰하며 국권 회복을 권하였다. 이때 서전서숙을 개설하여 민족교육을 실시하고 있던 이상설을 만나러 때때로 용정촌을 방문하기도 하였다. 그러나 이상설은 이미 헤이그특사에 임명되어 용정을 떠난 상태였다. 이후 안중근은 천주교도들의 집성촌인 불동의 남회장댁에 머물며 불동의 천주교도들을 대상으로 민족운동을 추진하려 하였다.

안중근은 간도에서 연해주로 건너가기로 결심하였다. 그가 간도를 떠나려는 이유는 다음과 같았다. 첫째, 일제가 통감부임시간도파출소를 룽징에 설치하여 한인 민족운동자들에 대한 감시와 탄압의 수위를 점차 높이고 있는 상황 속에서 안중근은 운신하기가 힘들었다. 둘째, 불동의 천주교도들은 브레 신부가 관할하는 원산교구의 정치불간섭주의에 따라 안중근의 민족운동에 동참 의사를 표하는 이가 한 사람도 없었다. 셋째, 간도 전역 천주교도들의 숫자는 1,500인에 불과했기 때문에 이런 소수 인원을 가지고서는 민족운동을 원활히 수행하기가 어려웠다. 이에 안중근은 연해주로 건너가 새로운 민족운동을 모색하려 하였다.

나는 간도의 동포를 시찰하는 한편, 민지계발을 꾀할 생각이며 의병을 일으킬 생각은 터럭만큼도 없었던 것이다. 그런데 그곳에서 내지의 형세를 보니 날로 동포는 불행에 빠질 뿐이므로 부득이 의병을 일으켜 천하를 향해 이등伊藤이 한민韓民을 압제하는 것을 공표公表하고 한편으로는 일본 천황에게 이등의 정략에 한민이 만족하고 있지 않음을 알리고 한민이 일본의 보호를 원한다는 것은 사실이 아니라는 뜻을 호소하려는 데 있었다.

안중근은 처음에 간도에 도착했을 때만 해도 계몽운동에 뜻을 두었다. 그러나 계몽운동이 난관에 부딪치고, 일제가 나날이 한국민을 탄압하는 것을 보고 의병운동을 결심하게 되었다. 이전에 안중근은 서울에서 보안회 회장 원세성元世性을 찾아가 자신의 수하에 결사대 20명이 있으니 보안회가 장사 30명만 선출하여 도합 50명의 결사대만 있으면 혈전을 벌여 매국대신들과 일제 괴수들을 죽일 수 있다고 하였다. 아쉽게 이 제안은 수용되지 못했다. 또 그는 1907년 7월 평양에 잠시 들렀을 때에 학도들과 의병을 일으키고자 군기고의 무기를 탈취하려다가 무산된 적이 있었을 정도로 의병운동에 깊은 관심을 두고 있었다. 따라서 안중근은 계몽운동과 의병운동과 의열투쟁 등의 독립운동방략을 다각도로 고려하는 가운데 일단은 연해주에서 의병운동에 착수하기로 방향을 바꾸었다.

안중근은 간도를 출발하여 함북 종성에 이르러 주막에서 자고 경원에 이르러 5~6일간의 지낸 후에 1907년 10월 20일 연해주 남단의 연추烟秋 (노보끼예프스크, 현재 그라스키노)로 들어갔다. 안중근이 도착한 연해주는

을사늑약 이후 고종황제를 비롯한 반일운동세력들이 국권 회복을 위한
최후의 보루로 간주하여 많은 인사들을 파견하여 활동하게 하였던 한국
독립운동사의 호수와도 같은 곳이었다. 이후 안중근은 한인이 운영하는
도즈막에서 1~2일 숙박한 다음, 포시에트항에서 러시아 기선을 타고
10월 말경에 블라디보스토크에 도착했다. 이어 수청·우노르·소왕령·
몬고계·아지미·시지미 등 여러 지방을 시찰하였고, 또 대도시 하바로프
스크에 이르러 흑룡강을 배로 거슬러 올라가기도 하였다. 이렇게 안중
근은 4만 리를 돌아다니며 연해주에 현황을 파악하였다.

연해주 일원에 대한 시찰이 끝나자 안중근은 각지를 돌아다니며 의병
봉기를 촉구하고 교육 발달과 실업 진흥을 촉구하는 연설을 하였다. 그
는 자신의 정력적인 연설 활동을 "자신의 천직으로 알고 열심히 권유하
였다"고 술회하였다. 그런데 한말 의병장 중에는 일본군과의 전투에서
패한 후에 무력 투쟁의 한계를 절감하고 계몽운동으로 돌아선 이들은
많았으며, 고종 측근의 항일대신이나 별입시別入侍들의 경우 고종의 항일
전략에 따라 처음부터 의병운동과 계몽운동을 동시에 전개한 이들도 있
었다. 그렇지만 안중근처럼 계몽운동에 종사했던 재야인사가 다시 의병
운동과 계몽운동을 동시에 수행한 사례는 거의 없었다. 따라서 연해주
에서 안중근이 계몽운동과 의병운동을 동시에 벌인 것은 서북학회 – 신
민회 좌우파의 민족운동 노선이 안중근의 일신에 융화되어 실천된 것으
로 이해된다. 다만 상호 대립적인 운동 노선을 동시에 추구함에 따라 안
중근은 의병장으로서의 선명성이나 투쟁성의 측면에서 다소 약점을 노
출할 수밖에 없었다.

안중근은 간도에서 블라디보스토크에 도착한 다음 계동청년회에 가입하여 임시사찰로 활동하였다. 일제의 내사에 의하면, 계동청년회는 20세 이상의 한인들로 구성되어 있으며, "한국에 있어서의 일본의 억압을 전복하는 것을 목적으로 하는 비밀결사"였다. 당시 계동학교 강당에서 열린 청년회 임시총회에서 '애골ᵐ'이라는 자가 규칙을 어겨가며 질의를 하고 사담을 하였다. 이에 안중근은 그의 잘못을 지적하다가 귀뺨을 몇 대 맞고 귓병을 얻어 고생하기도 하였다. 이때 안중근은 사회가 운영되려면 여러 사람이 합심 협력할 필요가 있다고 말하며 폭행 사건을 대범하게 넘기는 도량을 발휘하였다. 이는 연해주 한인사회에서 안중근이 안착하는 데 일정한 도움을 주었을 것이다.

연해주에서 의병운동을 전개하다

1908년 4월 항일조직인 동의회가 조직되기 전까지 안중근은 의병운동과 계몽운동을 전개하였다. 간도에서 연해주로 건너온 안중근은 연해주 한인사회가 경계할 만한 낯선 인물이었다. 당시 연해주에는 일제 밀정이 횡행하며 유력한 재러 한인들의 동태를 일본영사관에 낱낱이 보고하고 있었다. 그렇기 때문에 안중근은 재러 한인사회에 안착하기 전까지 각고의 노력을 기울여야만 했을 것이다. 옥중에서 일제 검찰관의 심문에 대해 안중근은 "(1908년 봄) 각지를 돌아다니며 의병을 일으키도록 권유하였으나 감히 의병을 일으킬 자가 없었다. 교육 발달, 사업 발전 등도 촉구하였다. 고로 나를 의병이라고 부르게 되었을 것이다"고 하여 자신의 최초 창의활동에 동참자가 거의 없었음을 토로하였다.

창의활동에 돌입한 안중근은 1907년 11월경 연해주 지역 의병운동의 거물인 이범윤李範允을 찾아갔다. 1902년 고종황제로부터 북간도관리사에 임명된 이범윤은 러일전쟁 때에 휘하의 충의대를 이끌고 참전하여 공을 세웠다. 이후 그는 자기를 따르는 일부 군사들을 거느리고 연해주로 망명하여 연추의 한인지도자 최재형崔在亨의 식객으로 머물며 재차 창의를 모색하고 있었다. 안중근은 누차 이범윤을 찾아가 창의를 권하였다. 이때마다 이범윤은 창의 자체에는 동감을 표하면서도 재정과 군기를 마련할 길이 없다는 이유를 들며 그의 권유를 거절하였다.

최재형

그런데 일제 검찰관의 신문을 받을 때에 안중근은 이범윤이 자신과 의견이 일치하지 않았고, 또 러시아에 대한 이범윤의 태도가 '러시아 일진회'에 해당한다고 지적하였다. 이를 보면 안중근이 이범윤의 충군애국성은 인정하면서도 그의 친러적 외세 의존성과 다소 수구적 정치노선에 비판적 태도를 견지했음을 알 수 있다. 이에 반해 이범윤은 서울과 연해주의 계몽운동자들과 친교를 맺는 안중근의 계몽 성향이 미덥지 않았을 것이다. 그러나 얼마 후인 1908년 봄에 안중근은 이범윤·유인석과 함께 '한국어사관韓國御使官'의 마패를 가지고 '한국칙사韓國勅使'라고 칭하며 블라디보스토크 일대에서 의병소모 활동을 벌이다가 의병운동에 반대하는 재러 한인사회의 계몽운동자들로부터 핍박을 받기도 하였다. 이를 보면 안중근과 이범윤은 1908년 4월 동의회 창립 전에 노선 차이를 극복하고 일시 연대관계를 맺었던 것으로 보인다.

　1907년 겨울에 안중근은 블라디보스토크에서 엄인섭嚴仁燮·김기룡金起龍과 결의형제가 되었다. 이때 나이순으로 최재형의 조카인 엄인섭이 첫째, 안중근이 둘째, 평양 출신으로 안중근의 단지동맹원인 김기룡이 셋째가 되었다. 안중근은 이들과 함께 두터운 정을 나누면서 의거를 모의하였다. 또한 이들과 함께 각지를 돌아다니며 재러 한인들에게 본국의 불행을 구제하기 위해서는 연해주의 한인들이 일어나야 한다는 점을 역설하였다. 그의 자서전에는 안중근이 재러 한인들에게 한국 내에서 치열하게 벌어지고 있는 의병활동에 적극 동참할 것을 간곡히 호소한 내용이 실려 있다.

　나아가 안중근은 한국인들이 의병을 일으켜 애써 싸우기만 하면 세계 열강의 공론도 없지 않을 것이며 독립할 수 있는 희망도 있을 것이라고 보았다. 또 일본은 5년 내에 러시아·청국·미국 등 3개국과 전쟁을 벌일 것이므로 이때가 한국에게 독립의 기회가 될 것이라고 하였다. 따라서 한국으로서는 독립의 기회가 올 때까지 지속적으로 일본과 무력 항쟁을 전개해야만 한다는 것이었다.

　한편 안중근은 여러 동지들과 함께 연해주 곳곳을 돌며 교육 발전과 산업 진흥을 역설하였다. 이는 여러 곳에 학교가 설립되는 성과로 이어졌다. 이처럼 안중근이 창의활동과 교육·식산 진흥을 동시에 강조한 것은 장기간 철저히 준비하면 언젠가는 독립을 달성할 것이라는 신념을 지니고 있기 때문이었다. 나중에 그는 국내진공작전을 앞두고 휘하의 의병들에게 "오늘은 군사들이 병약하고 늙은 사람이라도 좋다. 그 다음

청년들은 사회를 조직하고, 민심을 단합하고, 유년을 교육하여 미리 뒷날을 준비하는 한편, 여러 가지 실업에도 힘쓰며 실력을 양성한 연후에라야 대사를 쉽게 이룰 것이다"고 하였다. 이는 연해주의병의 항일활동을 밑거름으로 국권을 회복하고 신사회와 신국가를 건설할 신세대가 태동하기를 기원한 말이었다. 이러한 발언에 대해 그 자리에 모인 병사들은 상당한 불만을 드러내기도 하였다.

1908년 3월에 안중근은 연해주 한인사회의 인심 통합을 강조하는 논설을 신문에 기고하였다. 당시 연해주 한인사회에는 생계를 위해 두만강을 넘어 정착한 다음 러시아에 편입된 원호인과 민족운동을 위해 연해주로 건너온 이주민간에 심각한 갈등이 있었다. 또한 민족운동가들이 대부분을 차지하는 이주민들은 기호·평안·함북 출신 간의 지역감정, 군권주의자와 민권주의자 간의 정체관 차이, 계몽운동자(완진론자)와 의병운동자(급진론자) 간의 운동 방략 차이에 따라 복잡하게 대립하고 있었다. 이런 상황에서 안중근은 연해주 한인사회에 국권 회복의 선결과제로서 인심 단합이 무엇보다도 필요하다는 점을 역설함으로써 한민족의 독립운동에 필요한 정신적 통합을 모색하였다.

대저 사람이 천지만물 중에 가장 귀한 것은 다름이 아니라 삼강오륜을 아는 까닭이라. 그런 고로 사람이 세상에 처함에 제일 먼저 행할 것은 자기가 자기를 단합하는 것이오, 둘째는 자기집을 단합하는 것이오, 셋째는 자기 국가를 단합하는 것이니, 그러한즉 사람마다 마음과 육신이 연합하여야 능히 생활할 것이오. 집으로 말하면 부모처자가 화합하여야 능히 유지할 것이오. 국가는 국민 상하가 상합하여야 마땅히 보전할지라.

슬프다 오늘날 우리나라가 이 참혹한 지경에 이른 것은 다름이 아니라 불합병不合病이 깊이 든 연고로다. 불합병의 근원은 교오병驕傲病이니 교만은 만악萬惡의 뿌리라. …… 오늘날 우리 동포가 불합한 탓으로 삼천리강산을 왜놈에게 빼앗기고 이 지경이 되었도다. 오히려 무엇이 부족하며 어떤 동포는 무슨 심정으로 내정을 정탐하여 왜적에게 주며 충의한 동포의 머리를 베어 왜적에게 바치는가. …… 여보 강동 계신 우리 동포 잠을 깨고 정신 차려 본국 소식 들어보오. 당신의 일가가 친척일가가 대한 땅에 다 계시고 당신의 조상 백골 본국강산에 아니 있소. 나무뿌리 끊어지면 가지를 잃게 되며 조상 친척 욕을 보니 이내 몸이 영화될가 비나이다.

여보시오 우리 동포. 지금 이후 시작하여 부합不合 두 자 파괴하고 단합 두 자 급성急成하여 유치자질幼稚子姪 교육하고 노인들은 뒷배 보며 청년형제 결사하여 우리 국권 빨리 회복하고 태극기를 높이 단 후에 처자권속 거느리고 독립관에 재회하여 대한제국 만만세를 육대부주 혼동하게 일심단체 불러보세.

– 『해조신문』 1908년 3월 21일

연해주 한인사회에 처음이자 마지막으로 공개적으로 공포한 짧은 논설 「긔서」에서 안중근은 단합의 요건으로서 세 가지를 들었다. 그는 각기 일신과 가정과 국가가 제대로 보존되려면, 정신과 육신의 결합, 부모와 처자의 화합, 국민 상하의 결합이 순조롭게 이루어져야 한다고 주장하였다. 그가 이렇게 개인·가정·국가의 삼위일체의 단합을 강조한 것은 대한제국이 일제로부터 참혹한 침탈을 받고 국권을 상실한 원인이 다름 아닌 단합력의 부재에 기인한다고 판단했기 때문이었다. 나아가 그는 한국인의 단합심 부재 원인은 교오병에 있다고 하면서 교오병을 부르는 교만은 만악의 뿌리에 해당한다고 보았다. 그러므로 그는 가정과 국가의 단합심을 저해하는 가장 중요한 원인인 개인의 교만병을 제거하기 위해서는 모든 개인이 겸손한 자세로 자기를 낮추고 타인을 존중하고, 책망을 참아내고 잘못한 이를 용서하고, 자기의 공을 타인에게 돌려야 한다고 하였다. 그러면 모든 사람들이 서로 감화될 것이라는 것이 안중근의 주장이었다.

안중근이 연해주에서 전개하려는 의병운동은 강력한 무력으로 일제를 한반도에서 완전히 구축하고 자주국권을 확립하겠다는 독립전쟁론을 의미하는 것은 아니었다. 그것은 첫째, 의병운동을 통해 이등박문의 한국민 탄압을 전세계에 알리고, 둘째, 일본 천황에게 한국민이 이등박문의 침략 정략에 반대할 뿐 아니라 한국민이 일본의 보호를 원한다는 것은 사실이 아니라는 뜻을 알리려 하였다. 이 점에서 안중근의 의병운동 구상에는 처음부터 일본 천황의 존재를 인정하고 이등의 대한정책만을 문제시하는 제한적이며 평화적인 성격이 포함되어 있었음이 주목된다.

안중근은 동지들과 여러 지방을 두루 돌아다니며 많은 한국인들을 만나는 한편 그들에게 다름과 같은 연설을 하였다.

동포들이여! 동포들이여! 내 말을 자세히 들어보시오.

한국을 침략해 5조약과 7조약을 강제로 맺은 다음, 정권을 손아귀에 넣

고 저지른 만행을 보십시오. 황제를 폐위시키고, 군대를 해산하고 철도·
광산·산림·하천·늪을 모조리 빼앗았습니다. 관청으로 쓰던 집과 민간의
큰 집들은 병참이라는 핑계로 모조리 빼앗아 일본인들이 살고 있습니다.
그들은 기름진 전답과 심지어는 옛 분묘들에도 군용지라는 푯말을 꽂고
무덤을 파헤쳤습니다. 그들의 재앙이 우리의 백골에까지 이르렀으니, 국
민 된 사람으로 또한 자손 된 사람으로 어느 누가 분함을 참고 욕됨을 견
딜 수 있겠습니까?

그래서 2천 만 민족이 일제히 분발해 3천 리 강산에 의병들이 곳곳에서
일어났습니다. 그런데 애통하게도 저 강도 같은 일본은 도리어 우리를 폭
도라고 부르며, 군사를 풀어 토벌하고 있습니다. 이렇게 일본의 참혹한
살육이 자행돼 두 해 동안에 해를 입은 한국인이 수십 만 명에 이르렀습
니다.

남의 강토를 빼앗고 사람들을 죽이는 자가 폭도입니까? 제 나라를 지키
고 외적을 막는 사람이 폭도입니까? 이야말로 적반하장이 아닙니까? 한
국에 대한 정략이 이같이 포악해진 근본을 논하자면, 그것은 이른바 일본
의 대정치가라는 늙은 도둑 이토 히로부미의 폭행에 기인하는 것입니다.
이토는 마치 한민족 2천 만이 일본의 보호를 받고자 원하고 있는 것처럼
꾸며대면서 지금 우리가 태평무사하며 평화롭게 날마다 발전하는 것처럼
날조하고 있습니다. 그는 위로는 천황을 속이고, 밖으로는 열강들의 눈과
귀를 가려서 자기 멋대로 농간을 부리며 못하는 짓이 없습니다. 이 어찌
통분할 일이 아닙니까?

우리 한민족이 만일 이 도둑놈의 목을 베지 않는다면 한국은 필히 없어지

고야 말 것이며, 동양도 앞으로 망하고야 말 것입니다.

여러분! 여러분! 깊이 생각해 보십시오.

여러분들은 조국을 잊었습니까, 그렇지 않습니까? 선조의 백골을 잊었습니까, 그렇지 않습니까? 친척과 일가들을 잊었습니까, 그렇지 않습니까? 만일 여러분들이 잊어버리지 않았다면, 이같이 위급해져 존망이 위태롭게 됐을 때 분발하고 크게 깨달아야만 합니다. 뿌리 없는 나무가 어찌 살 것이며, 나라 없는 백성이 어디에서 편히 살 것입니까? …… 오늘 국내외를 막론하고 한국인들은 남녀노소 할 것 없이 총을 메고 칼을 차고 일제히 의거를 일으켜야 할 것입니다. 그리하여 이기고 지고, 잘 싸우고 못 싸우고를 돌아보지 말고 통쾌하게 한바탕의 전투를 벌여 천하 후세에 부끄러운 웃음거리가 되지 않도록 해야 할 것입니다.

만일 이같이 힘든 전투를 할 경우, 세계열강의 여론도 없지 않을 것이므로 독립할 희망도 있을 것입니다. 더구나 일본은 불과 5년 이내에 반드시 러시아·청국·미국 등 3국과 더불어 전쟁을 시작하게 될 것이니, 그때는 한국에게 좋은 기회가 될 것입니다. 그때 만일 한국인이 아무런 준비도 하지 않았다면, 설사 일본이 진다 해도 한국은 다시 다른 도둑의 손아귀로 들어가게 될 것입니다.

그러므로 오늘부터 의병을 일으켜 계속해서 끊이지 않고 싸워 좋은 기회를 잃지 말아야 할 것입니다. 또 스스로 강한 힘으로 국권을 회복해야만 건전한 독립이라 할 수 있을 것입니다. 이는 이른바 '스스로 할 수 없는 자는 망할 것이요, 스스로 할 수 있는 자는 흥할 것'이라는 말입니다. 이는 "하늘은 스스로 돕는 자를 돕는다"라는 말과 같은 것입니다.

자, 여러분에게 묻겠습니다. 앉아서 죽기를 기다리는 것이 옳습니까? 분발해 힘을 내는 것이 옳습니까? 개개인이 모두가 결심하고 각성하며 깊이 생각해 용기 있게 전진하시기를 간절히 빕니다.

안중근은 이러한 내용의 연설을 하면서 지방을 두루 돌아다녔는데, 여기에 호응하여 따르는 사람들이 많았다. 혹은 자원해서 출전하고, 혹은 무기를 내놓았고, 혹은 자금을 내놓기도 해 그것으로 의거의 기초를 마련하기에 충분했다. 당시 '국가사상'이 박약하고 산업기반이 취약한 것으로 알려진 연해주 한인사회가 안중근에게 제공한 군자금은 4천 원에 달하는 것으로 알려져 있다.

의병 전위조직인 동의회를 만들다

1908년 4월경 연추의 최재형 집에서 연해주 일대에 산재한 의병운동자들의 회합이 열렸다. 이때 동의회의 결성이 논의되었다. 동의회 발기인들은 지운경·장봉한·전제익·전제악·이범윤·이승호·이군보·최재형·엄인섭·안중근·백규삼·강의관·김기룡·이위종·조순서·장봉김·백준성·김치여 등 18인이었다.

동의회는 이주한인들의 조국정신 배양, 결속 도모, 환난 구제를 표방하며 결성된 단체였다. 5월 10일자 『해조신문』의 「동의회취지서」에서 동의회는 위로는 국권이 소멸되고 아래로는 민권이 억압당하고 있는 한국의 현실을 통탄한 다음, "금일 시대에 교육을 받아 조국정신을 배양하고 지식을 밝히며 실력을 길러 단체를 맺고 일심동맹을 이루는 것이 제일 방침"이라 하였다. 이어 말미에 "철환을 무릅쓰고 앞으로 나가 독립기를 크게 쓴다"고 하였다. 이러한 동의회를 주도한 인사들은 연해주 항일운동을 주도한 이들이 대부분이었다.

동의회 취지서

무릇 한줌 흙을 모으면 능히 태산을 이루고, 한 홉 물을 합하면 능히 창해를 이룬다 하나니 적은 것이라도 쌓으면 큰 것이 될 것이오, 약한 것이라도 합하면 강한 것이 됨은 고금천하의 정한 이치라. 그런 고로 『주역周易』에 이르기를 두 사람만이 동심하여도 그 이로움이 쇠를 끊는다 하고 『춘추전春秋傳』에 말하기를 여러 마음이 합하면 성을 쌓는다 하였으며, 서양 정치가도 항상 말하기를 나는 뇌정도 두렵지 않고, 대포도 겁나지 않으되 다만 두렵고 겁나는 것은 중심이 합하여 단체된 것이라 하였으니 자고로 영웅호걸이 위태하고 간험한 때를 당하여 충의열성으로 나라를 붙들고 세상을 건지고자 할진대 반드시 의기남자와 열렬지사를 연람하여 단체를 만들어 서로 같은 이는 서로 응하고, 지기 같은 이는 서로 구한 연후에야 능히 굉대한 사업을 이루며 능히 거룩한 공명을 세우나니 옛적에 유·관·장 3인은 도원에 결의하여 4백 년 유씨의 기업을 다시 촉한에 중흥하고, 아지니와 가라파지는 영호를 결합하여 소년 이태리를 창립함으로 구라파 남반도에 십일만 방리의 신라마를 다시 건립하였으니, 이것은 다 고금 영걸지사의 몸을 잊어 나라에 드리고 마음을 합하여 의기를 떨침이라.

슬프다 우리 동포여 오늘날 우리 조국이 어떤 상태가 되었으며, 우리 동포가 어떤 지경에 빠졌는지, 아는가 모르는가. 위로는 국권이 소멸되고, 아래로는 민권이 억압되며, 안으로는 생활상 산업권을 잃어버리고, 밖으로는 교통상 제반권을 단절케 되었으니 우리 한국 인민은 사지를 속박하고 이목을 폐석하여 꼼작 운동치 못하는 일개 반생물이 된지라. 어찌 자유 활동하는 인생이라 하리오.

대저 천지간에 사람으로 생겨서 사람 된 직책이 많은 중에 제일은 국가에 대한 직책이니 국가라 하는 것은 곧 자기 부모와 같이 자기의 몸을 생산할 뿐더러 자기의 부모 형제와 자기의 조선 이상으로 기백대 기천 년을 자기까지 혈통으로 전래하면서 생산하고 매장하던 땅이오, 또한 기백대 조선 이하로 그 종족과 친척을 요량하면 전국 내 몇천 만 인종이 다 서로 골육친척이 아니되는 자가 없으니 일반 국가와 동포는 그 관계됨이 이 같이 소중한 연고로 국가에 대한 책임은 사람마다 생겨날 때에 이미 두 어깨에 메고 나는 것이라. 만약 사람으로서 자기 나라에 열심하는 정신이 없고 다만 야만과 같이 물과 풍을 쫓아다니며, 어디든지 생활로 위주하면 어찌 금수와 다르리.

가령 한 나라 안이라도 고향을 떠나 오래 타향에 작객하면 고향 생각이 간절하거늘 하물며 고국을 떠나 수천리 외국에 류우하는 우리 동포는 불행이 위험한 시대를 당하여 조국의 강토를 잃어버릴 지경이요, 현재 친척은 다수 화중에 들어 만목수 참한 경상이라. 어찌 슬프지 않으리오. 눈비 오고 궂은 날과 달 밝고 서리찬 밤 조국 사상 간절하여 꽃을 보아도 눈물이오, 새소리를 들어도 한숨짓고, 충신열사의 난시를 당하여 거국이향한 회포를 오늘이야 깨닫겠도다. 만약 조국이 멸망하고 형제가 없어지면 우리는 뿌리 없는 부평이라. 다시 어디로 돌아가겠는가. 그리하면 우리는 어찌하여야 우리 조국을 붙들고 동포를 건지겠는가. 금일 시대에 첫째 교육을 받아 조국 정신을 배양하고, 지식을 밝히며 실력을 길러 단체를 맺고 일심동맹 하는 것이 제일 방침이라 할지라. 그런 고로 우리는 한 단체를 조직하고 동의회라 이름을 발기하나니.

슬프다. 우리 동지 동포는 아무쪼록 우리 사정을 생각하고 단체 일심이 되어 소년 이태리의 열성으로, 조국의 정신을 뇌수에 깊이 넣고 교육을 발달하여 후진을 개도하며, 국권을 회복하도록 진심갈력할지어다. 저 덕국 비스맥은 평생에 쇄와 피의 두 가지로서 덕국을 흥복하고 부강을 이루었으니, 우리도 개개히 그와 같이 철환을 피치 말고 앞으로 나아가서 붉은 피로 독립기를 크게 쓰고 동심동력하여 성명을 동맹하기로 청천백일에 증명하노니 슬프다 동지 제군이여!

동의회 총장 최재형, 부총장 이범윤, 회장 이위종, 부회장 엄인섭 등

이어 수백 명의 동지들이 참석한 총회에서 총장·부총장·회장·부회장 및 기타의 임원선거를 실시한 결과 총장에 최재형, 부총장에 이위종이 선출되었다. 부총재 선거에서 53살의 나이에 독자 세력을 지닌 이범윤이 연해주에 처음 나타난 23살의 이위종에게 밀린 것은, 고종 측근인 주러공사 이범진과 고종 측근 심상훈沈相薰의 수하인 강姜의관(강참봉) 및 서북학회와 관련된 인사들의 지지를 받은 안중근과 같은 인사들이 이범윤보다는 연추의 지배세력인 최재형계를 지지한 결과였다.

동의회 임원선출에서 한 표 차이로 부총장에서 밀려난 이범윤은 자리를 박차고 일어났다. 이범윤이 "수 년간 국사를 위해 진력했는데도 명성도 없고 나이도 어린 조카보다 뒤졌다"며 분노를 나타내자 이범윤 세력이 동요하기 시작했다. 그러나 이위종이 급히 단상에서 내려와 이범

윤에게 부총재를 사양하여 사태가 진정되었다. 이후 실시된 회장 이하의 선거에서 회장에 이위종, 부회장에 엄인섭, 서기에 백규삼, 평의원에 발기인 전부가 선출되었다. 선거 후에 이범윤 일파는 고종황제의 밀지를 소지한 이범윤을 반대한 9인(안중근·지운경·장봉한·전제익·전제악·백규삼·강의관·김기룡·엄인섭)을 '어명을 어긴 모반인'이라고 몰아붙이는 첩지를 곳곳에 붙였다. 이는 연해주의병의 중추세력인 이범진·이범윤 세력이 갈등 양상을 보였음을 입증하는 것이다. 그런데 이처럼 주도권 장악에서 비롯된 여러 세력 간의 갈등 양상은 이후 연해주에서 벌어진 독립운동에 직접적 영향을 미쳤다.

동의회는 이범진·이범윤·이위종 등 서울에서 내려온 고종 세력들과 최재형·엄인섭 등 연해주의 재야 세력들이 대거 합세하여 조직한 연합체였다. 그렇기 때문에 동의회의 임원직(총재단·회장단)은 고종 세력(이범윤·이위종)과 재야 세력(최재형·엄인섭)이 절묘하게 양분하여 가졌다. 그러나 재야 세력이 최재형의 일족으로 구성되어 결속력이 강했던 반면, 이범진계와 이범윤계로 구성된 고종 세력은 의진의 주도권을 둘러싸고 갈등양상을 보였다. 이로 말미암아 서울의 서북학회 인사들과 연계한 이범진계가 최재형 세력을 지지함에 따라 이범윤 세력은 동의회 결성 직후에 동의회를 이탈하고 말았다. 그럼에도 결성 초기의 동의회는 한말 대규모 연합의진의 경우처럼 고종 세력과 재야 세력의 연합체적 성격을 지니고 있었다. 이범윤계가 동의회를 이탈하는 우여곡절을 거친 다음, 1908년 5월에 최재형의 집에서 동의회가 조직되었다. 이런 점에서 동의회는 실질적으로 항일의병을 위한 결사의 성격이 강한 단체였다.

동의회 내에서 안중근의 위상은 후원자 최재형, 결의형제 엄인섭의 지위와 연동되어 있었다. 안중근은 연해주 각지에서 의병 봉기·교육 진흥·산업 진작·인심 단합 등을 역설함으로써 꾸준히 영향력을 확대해 나갔다. 그리하여 동의회 발기인 18인의 명단에 오를 정도로 연해주의 무장투쟁론자들로부터 일정한 인정을 받고 있었다. 그는 연해주의병의 다른 한 축을 이루고 있는 수청파의 주요 인사로 분류되기도 하였다. 동의회 총재를 선출할 때에 안중근은 엄인섭·김기룡과 함께 최재형을 추대하였고, 다른 발기인들과 함께 동의회 평의원에 임명되었다. 이로 인해 안중근은 최재형 세력이 국내진공작전을 결행할 때에 우영장右營將의 중임을 맡아 활동하게 되었던 것이다.

연해주의병의 우영장으로 활동하다

1908년 5월 동의회 결성을 즈음하여 안중근은 홍범도과 연합작전을 모색하려 하였다. 1908년 봄경에 그는 함경북도에서 활동하고 있는 홍범도로부터 방문 요청을 받고 갑산으로 가서 홍범도·차도선 등을 찾아갔다. 그러나 홍범도가 일본군에게 쫓기는 신세라 만나지 못하고 말았다. 6월에 안중근은 홍범도가 회령 근처에 있다는 소식을 듣고 홍치범·윤치종·김기열과 함께 홍범도를 방문하여 하룻밤을 유숙하면서 단발자나 일본 양민을 함부로 살해해서는 안된다고 설득하였다. 이때 안중근은 홍범도에 대해 "무학無學으로 시세에 통하지 못하나 인군에 대한 충성은 가장 깊고 또 청렴하여 양민의 재물을 침탈하지 않는다"고 평하였다. 결국 안중근은 '시세에 불통'한 홍범도가 자기와 맞지 않는다고 생각하여 연대하는 것을 포기하고 말았다.

의병진의 한 축을 맡은 장수로서 안중근의 의진 내 위상은 그리 높지

엄인섭(왼쪽)과 홍범도(오른쪽)

못했던 것 같다. 당시 "연해주 한인들은 기풍이 완고하여 권력자나 재산
가, 주먹이 센 사람, 관직이 높은 사람, 나이 많은 사람을 쳐주는 경향이
있는데" 안중근은 여기에 해당되지 못했다. 따라서 군사활동 초기에 안
중근은 병사들이 자신의 계몽사상이 가미된 창의연설에 불만을 토로하
는 것을 보고 불쾌하게 생각하여 물러나려 하였다. 그러나 이미 군사활
동에 돌입한 터인지라 어찌할 수 없어 그대로 주저앉고 말았다. 이처럼
전투를 치르기도 전에 병사들이 안중근의 발언을 문제시하며 불만을 토
로한 것은 안중근 의병의 패전에 일정한 영향을 미쳤다.

도영장: 전제익

참모장: 오내범　　　참모: 장봉한·지운경

군의: 미국에서 온 후 일본병에게 체포되어 총살당함

병기부장: 김대련　　　동부장: 최영기

경리부장: 강의관　　　동부장: 백규삼

좌영장: 엄인섭

　제1중대장: 김모, 제2중대장: 이경화, 제3중대장: 최화춘

우영장: 안중근

　제1중대장 이하 중대장 3인 성명 미상

　　의병직제에서 지도부를 구성한 핵심 인사들로는 동의회 의병의 배후
에서 의병을 총괄한 이범진의 아들 이위종, 연추의 실력자 최재형, 청년
행동가 안중근이 있었다. 그 밖에 의병장을 맡은 전제익은 함북관찰부
경무관 출신으로서 회령 태생이며, 참모 장봉한은 경성군 태생의 평민
출신 기독교도로서 어렸을 때에 10여년간 한학을 수련하였다. 경리부장
으로서 동의회 의병의 재정문제를 담당한 강의관参議官은 성명 미상의 서
울에서 내려온 전직 관료이며, 경리부장 백규삼은 기독교도로서 10여년
간 한문을 수학하였고 러시아어와 중국어에 능한 인물이었고, 최재형의
생질인 좌영장 엄인섭은 경흥 출신으로 러일전쟁 때 러시아군의 일원으
로 참가한 경력이 있었다. 이를 보면 대체로 최재형 – 이위종 의병의 지
도부는 함경도 출신으로 연해주에 정착한 원호민과 민족운동을 위해 서
울에서 내려간 이주민들이 차지했음을 알 수 있다.

동의회 의병의 편제에서 가장 주목할 만한 존재는 강의관이다. 그는 1908년 4월에 참봉 첩지를 가지고 다니며 모금행위를 하다가 『해조신문』으로부터 '협잡한다'는 비판을 받은 '강승지姜承旨'로 보인다. 그런데 그가 가진 1906년 9월자 첩지는 고종의 최측근이자 이종사촌이요, 한말 의병운동이 가장 치열했던 제천 지역 의병운동의 최대후원자인 궁내부대신 심상훈이 발행한 것이었다. 을미의병 때에 서울의 심상훈과 제천의 유인석 사이에서 연락을 전담했던 심상훈의 큰아들 심이섭沈理燮이 1908년 봄에 블라디보스토크에서 활동하고 있었고, 또 심상훈의 아들 심장섭沈璋燮은 을사늑약 이전에 러시아에서 주러공사 이범진 밑에서 서기관으로 근무하였으며, 을사늑약 후에는 서울에서 부친의 의병운동을 돕고 있었다. 이를 감안할 때 심상훈을 빙자한 '강승지'의 모금행위는 『해조신문』의 보도처럼 단순한 협잡행위만은 아니었으며, 연해주의병을 후원하기 위한 고종 세력의 의병 자금 모집운동의 일환이었다.

1908년 여름 연해주 지역의 의병운동은 고종황제의 항일운동과 밀접한 관련이 있었다. 당시 고종과 이범진은 주한프랑스공사관이나 상하이 주재 구미공사관을 통해 비밀 전보와 서한을 주고받고 있었다. 이들이 강구하는 국권수호전략의 궁극 목표는 러시아 정부를 상대로 한국의 국권을 수호해 달라고 하는 대외청원외교를 성사시키거나, 국내의 춘천·평양 등의 보장지나 러시아 연해주로 고종의 파천이나 망명을 단행하는 것이었다. 이를 위해 이범진은 일본군과의 전투에서 승리할 가능성이 희박한 연해주 지역의 재야 세력으로 하여금 의병을 규합하여 국경으로 진공토록 하였다. 이는 동양의 전통적 병략술인 상동격서전략聲東擊西戰略

을 성사시키려는 것이었다. 실제로 1908년 가을에 고종은 육로나 배편으로 연해주로의 망명을 준비하고 있었는데, 고종의 망명운동은 이범진의 연해주의병 후원활동과 긴밀한 연관 하에 추진되고 있었다고 판단된다. 이렇게 고종과 이범진 등이 짜놓은 항일구국방략의 구도 속에서 안중근은 의병운동을 일선에서 직접 수행하는 전제익 의병장 휘하의 막하장 역할을 맡고 있었다.

의병을 이끌고
국내진공작전을 전개하다

연해주 지역의 의병활동은 동의회가 결성된 1908년 4월부터 본격화되기 시작하였다. 동의회 창설 당시에 대립을 보였던 최재형계와 이범윤계는 이범윤의 부하들이 동의회 무기고를 습격하여 총기를 탈취해간 사건을 처리하는 과정에서 이전의 불화를 접고 협력하게 되었다. 당시 안중근을 비롯한 소성파 인사들이 크게 분노하여 일거에 이범윤계를 제거하려 하여 사태가 험악한 지경에 이르렀다. 그러나 최재형과 이위종은 이범윤계의 행위가 국사를 위한 지나친 열성에서 나온 것이며, 왜적 앞에서 형제간에 다투는 것은 옳지 못하다고 무마함으로써 사태가 해결되었다. 이는 연해주의병의 지상과제인 국권 회복의 당위성 앞에서 상호간 대결의식을 버리고 연합전선을 구축하는 계기로 이어졌다.

　최재형의 동의회와 이범윤의 창의회를 비롯한 연해주의병은 국내진공작전을 구상하였다. 이들은 국내에서 치열하게 벌어지고 있는 의병운동을 원거리에서 호응하기 위해 국내로 진공하려 하였다. 이를 위해 연해주의병은 중·러 국경지대의 훈춘과 간도를 거쳐 두만강의 산악지대로 이동하여 국내 의병과 합동작전을 펼침으로써 일제를 한반도에서 구축하겠다는 전략을 수립하였다. 그들은 무산시와 회령시를 차례로 장악하고, 나아가 두만강 상류지역 전체를 장악하는 것을 궁극의 목적으로 삼고 있었다. 이미 소규모 한인 의병들이 두만강을 건너 일본병과 전투를 벌이고 있는 상황에서 연해주의병은 북간도 일대에서 무기를 적극적으로 구입하였다. 이런 과정을 거쳐 추진된 연해주의병의 국내진공작전은 일본군과 러시아군의 각별한 주목을 끌기에 충분하였다.

거의를 준비할 때쯤에 연추 부근에서 안중근은 '8도 의병총독 김두성金斗星'으로부터 청국과 노령 부근의 의병사령관으로 일하라는 명령을 받았다. 이에 대해 안중근은 자신의 일대기에서 "그때 거의를 준비할 때 김두성과 이범윤 등이 모두 함께 의병을 일으켰는데, 그 사람들은 전일에 이미 총독과 대장으로 피임된 이들이요, 나는 참모중장參謀中將의 책으로 피선되어 의병과 군기 등을 비밀히 수송하여 두만강 근처에서 모인 다음 대사를 모의하였다"고 하였다.

연해주의병의 국내진공작전은 해상과 육상으로 동시에 진행되었다. 해로의 경우 약 600명의 의병이 두만강 하구 녹둔에서 중국 선편을 이용해 청진과 성진 사이의 해안으로 상륙하였다. 육로의 경우 안중근을 비롯한 동의회 의병은 지신허를 출발하여 두만강을 건너 홍의동洪儀洞과 신아산新阿山을 거쳐 회령에서 무산으로 이동하는 경로를 택하였다. 이범윤의 창의회 의병과 최재형 – 이위종의 동의회 의병은 두만강 상류지역으로 진출하여 장기적인 항일전을 수행할 근거지를 마련하려 하였던 것으로 보인다.

동의회 의병의 국내진공작전은 7월 3일경에 개시되었다. 이때 의병장 전제익이 통솔하는 동의회 의병 200~300명은 두만강을 건너 국내로 진격하였다. 이때 안중근은 50명의 의병을 직속군으로 거느리고 있었다. 동의회 의병은 포시에트에서 야음을 틈타 목선을 타고 밤이 깊은 때에 두만강변에 있는 경흥군 홍의동에 상륙하였다.

7월 7~8일경에 동의회 의병은 경흥군 홍의동의 산골짜기에 매복하고 있다가 새벽녘에 남방으로 오는 일본군 척후병 4명을 기습하여 사살하였다. 이 홍의동전투는 7월 10일 오내범 부대가 치른 신아산전투와 함께 동의회 의병이 승첩한 전투였다. 그런데 승첩의 분위기에도 불구하고 일본군의 전진을 막으려면 척후병을 공격해야만 한다는 엄인섭의 주장과 4명의 척후병을 죽이는 것은 최대 목적을 달성한 것이 아니라 오히려 의병의 전진을 막은 것이라는 안중근의 주장이 엇갈려 엄인섭이 공동 군사작전을 철회하고 군사를 거느리고 떠나버리는 불상사가 일어났다. 이로 인해 전투력이 분산된 동의회 의병은 의병 진압을 위해 전력을 보강한 일본군을 대적할 수가 없었다. 더욱이 이때 의병의 기세에 놀란 일제는 7월 10일 70여 명의 증원군을 경성에서 경흥으로 보내 의병을 진압토록 함으로써 동의회 의병은 어려운 처지에 봉착하게 되었다.

홍의동전투 이후 안중근은 일본 군인과 상인을 사로잡았다. 그는 이들에게 천황의 거룩한 뜻을 받들어 역적이나 강도처럼 동양을 침략하는 행위를 범하지 말 것을 훈계하고 무기를 주어서 풀어주었다. 그가 이들을 풀어준 것은 만국공법에서 사로잡은 적병을 죽이지 않는다는 구절에 따른 것이었다. 그러나 안중근 휘하의 장교들은 풀려난 일본인들이 의병의 위치를 일본군에게 알려줄 것이라는 우려에서 불평을 토로하였다. 이에 일부 장교들이 군사를 거느리고 떠나버렸다.

일본군의 추격과 장교들의 이탈로 내우외환에 처한 동의회 의병은 지형이 익숙한 무산 방면으로 퇴각하여 진용을 정비하려 하였다. 그리하여 군사를 몰아 회령 영산 부근에 이르러 이범윤의 부장 김모 부대와 합진하려 하였다. 그러나 전제익과 김모 간에 서로 대장이 되려고 하는 주도권 경쟁으로 인해 합진이 무산되고 말았다. 이어 7월 20일경에 동의회 의병은 일본군의 습격을 받고 전투다운 전투도 치르지 못하고 크게 패전하였다. 이로써 안중근의 의병운동은 실질적으로 종식되었다.

안중근은 연추에 머물며 기력을 회복한 다음, 1908년 늦가을부터 1909년 1월경까지 다시 연해주 한인사회를 돌며 의병 재기를 위한 활동을 벌였다. 그는 북쪽 하바로프스크 방면으로는 기선을 타고 흑룡강을 거슬러 올라가 사만지 지역까지 수천 리를 시찰하며 조국독립을 위하여 교육에 힘쓰고 단체를 조직하고 군자금을 마련하고 의병에 참여하도록 권하였다. 그는 의병운동의 기운이 퇴조하던 연해주에서 의병을 다시 일으키기 위해 분주히 돌아다녔으나 실효를 거두지는 못하였다.

대한독립을 결의하며
동의단지회를 결성하다

안중근은 1909년 2월 15일 연추에서 김기룡 등과 함께 일심회一心會를 조직하여 평의원으로 활약하였다. 이 단체는 "한국인들이 일심단결하여 동족을 서로 도우며, 아무쪼록 문명에 인진引進하여 외국인의 수모를 면케 하고, 우리 동포 중에 아편을 엄금할 것"을 목표로 하는 단체였다. 다시 말해 일심회는 겉으로 보면 연해주 한인들의 아편 금지와 상호부조를 위해 설립된 계몽단체였으나 속으로 보면 동의회와 마찬가지로 의병운동을 추진하기 위한 기반을 마련하려는 항일단체였다. 그러나 당시 연해주 사회의 분위기가 의병운동보다는 계몽운동 쪽으로 나가고 있었기 때문에 일심회의 의병운동 모색은 실현되지 못했다.

안중근은 1909년 3월 5일 연추 하리下里에서 김기룡·강순기·정원주·박봉석·유치홍·백규삼·황병길·조응순·김천화·강창두·김백춘 등과 동의단지회同義斷指會(이른바 단지동맹)를 조직하였다. 이들은 각자 무명지 첫 마디를 잘라 그 피로써 태극기 앞면에 '대한독립'이라고 4자를 크게 썼다. 그리고 '대한독립만세'를 일제히 세 번 크게 부르고, 죽을 때까지 독립운동에 매진할 것을 다짐하며 하늘과 땅에 맹세하고 흩어졌다. 당시의 상황을 다음과 같이 기술하고 있다.

황병길

"우리들이 전후에 전혀 아무 일도 이루지 못했으니 남의 비웃음을 면하기 어려울 것이요. 뿐만 아니라 만일 특별한 단체가 없으면 어떤 일이고 간에 목적을 달성하기가 어려울 것인즉 오늘 우리들은 손가락을 끊어 맹서를 같이 지어 증거를 보인 다음에 마음과 몸을 하나로 묶어 나라를 위해 몸을 바쳐 기어이 목적을 달성하는 것이 어떻소" 하자 모두가 그대로 따르겠다 하여 마침내 열두 사람이 각각 왼쪽 손 약지藥指를 끊어 그 피로써 태극기 앞면에 글자 넉 자를 크게 쓰니 대한독립이었다. 쓰기를 마치고 대한독립만세를 일제히 세 번 부른 다음 하늘과 땅에 맹세하고 흩어졌다.

단지동맹에 참가한 12인은 20대 중후반에서 30대 초반의 젊은이들로 대부분 의병전쟁에 참여한 전력을 가졌다. 안중근이 맹주를 맡은 단

안중근 단지 혈서 엽서

지동맹의 궁극적 목적은 혈맹血盟한 12인이 다 같이 한 몸을 바쳐 조국의 독립을 회복하고 동양평화를 이룩하는 데 있었다. 이들은 그러한 목적을 실현하기 위해 동의단지회 취지문을 작성하였다. 여기에서 단지동맹원들은 2천만 동포가 일심으로 단결을 이루어야만 국권을 회복하고 생명을 보전하여 동양평화를 이룩할 수 있다는 실천강령을 천명하였다.

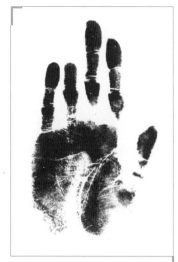
안중근 단지 손도장

오늘날 우리 한국 인종이 국가가 위급하고 생민生民이 멸망할 지경에 당하여 어찌하였으면 좋을 방법을 모르고 혹왈 좋은 때가 되면 일이 없다고 하고 혹왈 외국이 도와주면 된다 하나 이 말은 다 쓸 데 없는 말이니 이러한 사람은 다만 놀기를 좋아하고 남에게 의뢰하기만 즐겨하는 까닭이라. 우리 2천만 동포가 일심단체一心團體하여 생사를 불고不顧한 연후에야 국권을 회복하고 생명을 보전할지라. 그러나 우리 동포는 다만 말로만 애국이니 일심단체이니 하고 실지로 뜨거운 마음과 간절한 단체가 없으므로 특별히 한 회會를 조직하니 그 이름은 동의단지회同義斷指會라. 우리 일반 회우會友가 손가락 하나씩 끊음은 비록 조그마한 일이나 첫째는 국가를 위하여 몸을 바치는 증거요, 둘째는 일심단체하는 징표라. 오늘날 우리가 더운 피로써 밝은 하늘 아래에 맹서하노니 지금부터 시작하여 아무쪼록 이전 허물을 고치고 일심단체하여 마음을 변치 말고 목적을 도달한 후에 태평동락을 만만세로 누리옵시다.

단지동맹을 한 후 안중근은 연해주 각지를 돌아다니며 재러한인들의 교육 진흥을 위해 노력하였다. 또한 그는 수청에서 총기를 휴대한 의병들을 데리고 다니며 일진회 색출에도 진력하였다. 아울러 1909년 봄과 여름 사이에 국내의 동정을 살피려는 계획을 하며 새로운 활로를 모색하려 하였다.

안중근은 우리 2천만 동포가 한결같은 마음으로 단합하여 죽음과 삶을 무릅쓰고 투쟁을 전개해야만 조선의 독립을 달성할 수 있다고 굳게 믿고 이러한 목표를 이루기 위해 동지 11명과 함께 동의단지회를 조직한 것이다. 이 동의단지회의 결성은 의병운동 당시 국내의 회령 영산전투에서의 패배 이후 자신과 동지들의 위상 회복과 국권 회복을 위한 강한 의지를 반영한 것이었다. 안중근이 공술에서 "단지斷指한 당시는 민심이 산란하고 또 나를 믿는 자가 없으므로 나는 국가를 위해 진력하는 열심을 타인에게 보이어 민심을 수습하기 위해 단지한 것이다"라고 언급하고 있는 점은 당시의 절박한 심정을 잘 반영한 것이라고 생각된다. 요컨대 안중근이 11인의 동지들과 함께 손가락 마디 하나씩을 자르고 소규모로 결사대를 조직하여 친일파나 일제 요인을 상대로 항전하고자 한 것은 의병운동의 열기가 점차 식어가는 가운데 이루어진 항일방략의 전환이었다고 볼 수 있다.

<표 1> 동의단지회 회원

성명	이명 (異名)	연령	출생지	직업	활동 지역	주요 활동
안중근 (安重根)	안응칠 (安應七)	31	황해도		연추, 블라디 보스토크	계몽운동, 의병활동, 동의회 평의원(1908), 연추한인일심회 평의원(1909), 동의단지회 맹주
김기룡 (金基龍)	김길룡 (金吉龍), 김태룡 (金泰龍)	30	평안도	경무관, 상업	소성, 수청	연추한인일심회 서기(1909), 노령한인협회 서기(1917) 블라디보스토크 조선인군인회 대표(1918) 대한국민의회 외무부장(1921)
강기순 (姜基順)	강기순 (姜起順), 강순기 (姜順琦)	40	평안도		수청	의병활동
정원주 (鄭元柱)	정원계 (鄭元桂), 정원식 (鄭元植), 정주원 (鄭柱元)	30	함경도		소성	의병활동
박봉석 (朴鳳錫)	박봉석 (朴奉石)	32	함경도	농업	소성	의병활동
유치홍 (柳致弘)	유치현 (劉致鉉)	30	함경도	농업	소성	의병활동
조응순 (趙應順)	조순응 (趙順應), 조일비 (趙一飛), 왕대방 (王大方)	25	함경도	농업	소성, 블라디 보스토크, 상하이	의병활동, 모스크바 유학(1917~1920), 치타 고려공산당 입당, 한국독립단부단장(1921)

성명	이명 (異名)	연령	출생지	직업	활동 지역	주요 활동
황병길 (黃炳吉)		25	함경도	농업	훈춘	의병활동, 둔전영(屯田營) 평의원(1912), 조선인기독교 교우회회장(1913), 대한민회 연추지방회 사무원 (1915)
백규삼 (白圭三)	백남규 (白南奎), 백락규 (白樂圭), 백규복 (白圭復)	27	함경도	농업	훈천, 연추	의병활동, 동의회 서기(1908), 훈천조선인기독교 교우회장(1912), 안중근유족구제회 간부
김백춘 (金伯春)	김해춘 (金海春), 김응렬 (金應烈)	25	함경도	어업	소성	의병활동
김천화 (金天化)	갈화천 (葛化千) 김천화 (金千化)	26	강원도	노동	니콜라옙 스크, 블라디 보스토크	의병활동
강창두 (姜昌斗)	강계찬 (姜計瓚), 강두찬 (姜斗讚), 강창동 (姜昌東)	27	평안도	노동	니콜라옙 스크	의병활동, 동의회 회원(1908)

출처: 『한국독립운동사자료』 6권, 246 · 331쪽 ; 7권, 400~425쪽.

안중근은 동의단지회의 회장으로서 회무를 주도하였으며, 동지들과 신의를 맺는 다음과 같은 시를 지어 동지들간의 신의와 결속을 다짐하였다.

3인이 동맹하니 범만주일하다	三人同盟 汎萬注一
보국 혈심은 돌을 깨고 금을 뚫는다	保國血心· 斷石透金
의로서 동맹하여 환란을 서로 구하다	結義同盟 患難相求
보국안민하고 사생을 함께 하다	保國安民 死生同居

－『권업신문』 1910년 8월 23일

역사적인 하얼빈 의거를 거행하다

을사늑약 체결 후 일제의 한국 침략의 실행자인 이토 히로부미는 통감부와 이사청을 통해 한국을 실질적으로 통치하였다. 초대통감 이토 히로부미는 일본제국주의의 이익에 부합하도록 한국을 개조하는 작업에 착수하였다. 당시 그는 정치·경제·문화·교육 등 모든 면에서 한국은 후진성을 면치 못하고 있으므로 이를 일본식으로 고쳐야 한다고 주장하였다. 이를 위해 이등은 일제의 대한정책이 선정善政이라는 것을 적극 홍보하는 한편, 여기에 반대하는 세력을 무력을 동원하여 무자비하게 진압하였다. 나아가 그는 동양의 평화를 달성하는 가장 적절하고 긴요한 방법은 한국이 일본과 성실하게 친목을 도모하고 존망을 같이하는 것이라고 하였다. 이처럼 일한제휴론에 입각한 이등의 동양평화 구상은 침략적 성격을 강하게 내포한 것이었다.

1909년 10월 일본 추밀원의장 이토 히로부미는 중국 동북지방을 시찰하기 위해 장도에 올랐다. 만주를 둘러싼 일본과 러시아의 경쟁 속에서 양국 사이 협상을 통하여 일본의 이익을 확보하는 것이 그가 만주행을 결심한 목적이었다. 당시 일본은 만주에서 가장 중요한 이해관계를 갖고 있는 러시아와의 협상을 통해 양국이 이 지역에서 특수 지위를 상호 확인하고 양국간 이해의 충돌을 미연에 방지하여 동맹국으로서의 지위를 구축한다는 것이었다.

한편 1909년 여름경 안중근은 블라디보스토크의 이치권 집에 머물며 의병을 다시 일으킬 방도를 구상하고 있었다. 이를 위해 연추·부녕을 거쳐 함경도 등지에 가서 자금을 마련한 후에 거병을 도모하려 하였다. 7월경 안중근은 김기룡과 함께 블라디보스토크를 출발하여 연추에 이르렀다. 그는 최재형에게 지원을 요청했으나 지원은 고사하고 동복冬服조차 얻지 못하였다. 이는 연해주 한인사회의 의병운동에 대한 열기가 이미 식었으며, 연추의 한인지도자인 최재형이 의병운동보다 계몽운동에 뜻을 두고 있었기 때문이었다. 따라서 안중근으로서는 새로운 진로를 모색해야만 했다.

안중근은 연추를 떠나 1909년 10월 19일 블라디보스토크에 당도하였다. 그때 블라디보스토크에는 이토 히로부미의 만주 시찰 소식이 널리 퍼져 있었으며, 지금이야말로 그를 처단할 기회라는 말들이 공공연히 떠돌고 있었다. 이런 분위기 속에서 안중근이 이토 히로부미의 만주 방문 소식을 접한 것은 이치권의 집에서였다. 안중근을 비롯한 정재관, 이강 등은 한국식민지화의 원흉인 이토 히로부미의 만주 시찰을 기해 그를 처단하기로 결정하였다. 이에 그는 "이토 히로부미가 만주에 온다

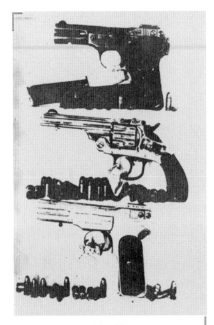
안중근과 동지들이 사용한 권총

는 소문이 높았고 그를 살해할 방법 등을 강구하고 있었으므로 나는 대단히 좋은 소식을 듣고 심중으로 기뻐 견딜 수가 없었다. 혹여 타인에게 선수를 빼앗길까 우려하여 누구에게도 입 밖에 내지 않았다"고 하여 이토 히로부미 포살 결심을 했을 당시의 심경을 토로하였다.

10월 20일 블라디보스토크에 있는 대동공보사에서 안중근을 비롯한 애국지사들의 회합이 있었다. 이때 안중근·정재관·이강 등 7명은 한국 주권을 침탈한 원흉이며 동양평화의 교란자인 이토 히로부미가 제정러시아 재정대신 코콥체프와 회담하기 위해 하얼빈에 온다는 보도에 대하여 그를 포살할 절호의 기회라고 결정하였다. 이때 안중근이 자진하여 실행 책임을 맡았으며 우덕순도 안중근과 공동 실행할 것을 제의하였다.

1909년 10월 21일 아침 8시 50분에 안중근은 유진율과 이강 등의 전송을 받으면서 우등열차를 타고 블라디보스토크를 출발하였다. 이들은 고고리스크(소리령)에서 하차하여 열차를 갈아탄 다음, 포그라니치니를 거쳐 22일 밤 9시 16분에 하얼빈에 도착하였다. 하얼빈에 도착한 안중

우덕순, 유동하, 조도선(왼쪽부터)

근은 김성백의 집에서 하루를 묵었다. 23일 안중근·우덕순·유동하 3인
은 함께 사진을 찍고 대동공보사의 하얼빈 지국장인 김형재와 회동한
다음 이번 거사에 조도선을 합류시키기로 하였다. 이리하여 이들 4인은
김성백의 집에서 거사 계획을 상의하며 활동을 시작하였다.

　10월 24일 안중근과 우덕순은 대동공보사 이강 앞으로 그간의 경과
를 알리기 위해 다음과 같은 편지를 썼다.

　안녕하시옵니까

　이달 9일(양력 10월 22일) 오후 8시 이곳에 도착하여 김성백 씨 댁에 머
무르고 있습니다. 『원동보遠東報』에서 보니, 이토는 이달 12일(양력 10월

25일) 러시아 철도총국에서 특별히 배려한 특별열차에 탑승하여 이날 오후 11시쯤에 하얼빈에 도착할 것 같습니다. 우리는 조도선 씨와 함께 저의 가족들을 맞아 관성자에 가는 길이라 말하고 관성자에서 거의 십여 리 떨어진 정거장에서 때를 기다려 그곳에서 일을 결행할 생각이오니 그리 아시기 바랍니다. 이 큰일의 성공 여부는 하늘에 달려 있으나, 동포의 기도에 힘입어 성공하게 되기를 간절히 바랍니다. 그리고 이곳의 김성백 씨에게서 돈 50원을 차용하니, 속히 갚아주시기를 천만 번 부탁드립니다.

대한독립만세

9월 11일(양력 10월 24일) 오전 8시

아우 우덕순 인

안중근 인

블라디보스토크 대동공보사 이강 전

오늘 아침 8시에 출발하여 남쪽으로 갑니다.

추신: 포그라니치니에서 유동하와 함께 이곳에 도착했으니 앞으로의 일은 본사로 통보할 것입니다.

10월 24일 안중근은 우덕순·조도선·유동하와 함께 하얼빈역으로 나갔다. 이들은 이토 히로부미의 도착 지역인 하얼빈과 채가구 두 곳에 저격 지점을 설정하였다. 안중근은 채가구에서 기차가 정지하여 이토 히로부미가 기차를 갈아탈 경우에는 우덕순과 조도선이 기차에 뛰어 올라 그를 저격하기로 하고 두 사람을 채가구로 보냈다. 그리고 만약 이것이 실패하면 종착지인 하얼빈에서 안중근이 이토 히로부미를 공격하기로 계획하였다. 그러나 그의 도착이 하루 늦어졌기 때문에 이들은 초초하게 거사의 결행을 기다렸다.

안중근은 이토 히로부미를 처단하기 위한 거사를 벌이기에 앞서 자신의 거사에 대한 결의를 밝힌 「장부가丈夫歌」를 지었다. 이때 거사 동지 우덕순도 「의거가義擧歌」(일명 보구가報仇歌)를 지어 이에 화답하였다.

장부가

장부가 세상에 처함이여 그 뜻이 크도다	丈夫處世兮 其志大矣
때가 영웅을 만듦이여 영웅이 때를 만듦이도다	時造英雄兮 英雄造時
천하를 웅시함이여 어느 날에 업을 이룰꼬	雄視天下兮 何日成業
동풍이 점점 차가워짐이여 장사의 의기가 뜨겁도다	東風漸寒兮 壯士義烈
분개하여 한번 감이여 반드시 목적을 이루리로다	憤慨一去兮 必成目的
쥐도적같은 이토여 어찌 즐겨 목숨을 비길고	鼠竊伊藤兮 其肯比命
어찌 이에 이를 줄을 헤아렸으리요 사세가 정말 그러하도다	
	豈度至此兮 事勢固然
동포 동포여 속히 대업을 이룰지어다	同胞同胞兮 速成大業
만세 만세여 대한 독립이로다	萬歲萬歲兮 大韓獨立
만세 만만세여 대한 동포로다	萬歲萬萬歲 大韓同胞

의거가

만났구나 만났구나, 원수 너를 만났구나.
평생 한번 만나기가 어찌 그러 더디더냐.

너를 한번 보려 하고 수륙으로 몇만 리에

천신만고 다하면서 윤선輪船 화차火車 갈아타며

러시아와 청淸 두 나라 지날 때에 행장 검사할 적마다

하나님께 기도하고 예수 씨에 경배하되

살핍소사 살핍소사 동반도에 대한제국

살핍소사 아무쪼록 저희를 도우소서.

저 간악한 노적老賊 놈이 우리 민족 이천만구二千萬口 멸종 후에

삼천리 금수강산 소리 없이 먹으려고

궁흉 극악 독한 수단 열강국을 속여가며

내장을 다 빼먹고 무엇이 부족하여

남은 욕심 채우고자 쥐새끼 모양으로

요리조리 다니면서 누구를 또 속이고

뉘 땅을 먹으려고 저같이 다니는고.

간활奸猾한 노적을 만나려고 이같이 급히 가니

지인지애至仁至愛 우리 상주上主 대한민국 2천만구

일체로 불쌍히 여기셔서 노적 놈을 만나보게 하옵소서.

이같이 빌기를 정거장마다 천만 번을 기도하며

이곳에 당도하며 주야불망晝夜不忘 보려 하던 저 무리를 만났구나.

네 수단이 간활키로 세계에 유명하여

우리 동포 어육魚肉 후에 길이 행락行樂 못 누리고

오늘날에 네 목숨이 내 손에 죽게 되니 네 일도 딱하도다.

갑오년 가독립假獨立과 을사년 신늑약新勒約 후

양양자득할 때에 오늘 일을 몰랐더냐.

죄진 놈은 죄 당하고 덕 닦은 때 덕이 온다.

너만 이리 될 줄 아니 너의 무리 4천만구

위서부터 하나둘씩 우리 손에 다 죽을라.

어화 우리 동포들아 일심으로 단합하여

왜구를 다 멸하고 우리 국권 회복한 후

국부민강 하고 보면 세계에 어느 누가

우리를 압제하며 하등下等이라 대우하랴.

어서 바삐 합심하여 저 무리를 이토 노한老漢 죽이듯이

어서만 어서 바삐 거사하세.

우리 일을 아니 하고 평안히 앉았으면

국권회복 절로 될 리 만무하니

용감력을 진발盡發하여 국민 의무 하여보세.

안중근은 이토 히로부미가 탄 열차가 10월 25일 장춘에 도착했다는 것과 26일 하얼빈역에 도착한다는 것을 『원동보』 기사를 통해 알게 되었다. 채가구에 우덕순과 조도선을 배치하고 25일 안중근은 하얼빈으로 돌아왔다. 안중근은 10월 26일 김성백의 집에서 6시 30분에 일어나 7시 경 하얼빈역에 도착하였다. 그는 차를 마시며 결전의 순간을 기다렸다. 드디어 9시 15분 열차가 도착하자 이토 히로부미와 코콥체프는 열차 안에서 약 30분 간 요담을 마친 뒤 플랫폼으로 나와 환영 나온 하얼빈 주재 각국 외교사절과 인사를 나누고 러시아군 의장대를 사열하였다. 이

안중근 의거 당시 모습

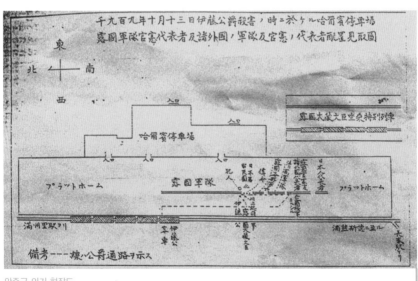

안중근 의거 현장도

토 히로부미는 사열을 마친 뒤 뒤돌아서
서 다시 귀빈열차 쪽으로 향하였다. 이
때 러시아 의장대 후방에 몸을 숨기고 있
던 안중근은 러시아 관리의 안내를 받으
며 맨 앞에서 걸어가고 있는 누런 얼굴에
흰 수염을 가진 노인이 이토 히로부미일
것이라고 판단하여 그를 향해 정확히 권
총 세 발을 발사하였다. 그리고 총을 맞
은 자가 표적이 아닐지도 모른다는 생각
이 들어 일본인들 중에서 의젓해 보이는
자들을 향해 세 발을 추가 발사하였다.
안중근의 탄환은 이토 히로부미의 가슴
과 복부에 정확하게 명중되어 이토 히로

의거 직후의 안중근

부미는 그 자리에서 쓰러졌다. 안중근의 탄환이 그의 심장을 관통하여
15분 후 한 마디도 못하고 죽었다. 이로써 동양평화를 상투적으로 외치
며 한국 침략을 단행한 이토 히로부미는 대한제국의 애국청년 안중근에
의해 처단되었다. 안중근은 이토 히로부미를 처단한 10월 26일을 다음
과 같이 기억했다.

9시쯤 되어 드디어 인산인해를 이룬 가운데 이토 히로부미가 탄 특별열
차가 도착했다. 그가 열차에서 내렸다. 군대가 경례하고, 군악대 연주소
리가 하늘을 울리며 귀를 때렸다. 나는 곧바로 군대가 늘어서 있는 뒤에

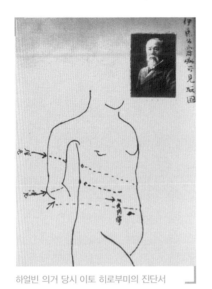
하얼빈 의거 당시 이토 히로부미의 진단서

까지 이르러 앞을 보았다. 러시아 일반 관리들의 호위를 받으며 맨 앞에 누런 얼굴에 흰 수염을 가진 늙은이가 걸어 오고 있었다. "저것이 틀림없이 늙은 도둑 이토일 것이다"라고 생각한 나는 곧 단총을 뽑아들고 그의 오른쪽 가슴을 향해 신속히 네 발을 쏘았다. 다시 뒤쪽을 향해 일본인 단체 가운데서 가장 의젓해 보이며 앞서 가는 자를 향해 다시 세 발을 잇달아 쏘았다. 이때가 바로 1909년 음력 9월 13일 상오 9시 반쯤이었다. 나는 곧 하늘을 향해 큰 소리로 대한 만세를 세 번 부른 다음, 정거장 헌병 파견대로 끌려갔다.

— 『안응칠역사』

안중근의 기억은 다소 착오가 있다. 이토 히로부미가 맞은 총알은 4발이 아니라 3발이었다. 의사 고야마小山善의 진단에 의하면 첫 번째 총알은 우상박右上膊 중앙 외면에서 그 상박을 관통하여 제7늑골을 향해 수평으로 들어가 가슴 안에 다량의 출혈을 유발시켰다. 두 번째 총알은 오른쪽 팔꿈치 관절 바깥쪽으로부터 그 관절을 관통하여 아홉 번째 늑골에 들어가 흉막을 관통해서 왼쪽 늑골 밑에 박혔다. 세 번째 총알은 상복부의 중앙에서 우측으로부터 들어가 좌측 복근에 박혔다.

하얼빈 의거의 정당성을
세계에 공포하다

안중근의 의거는 세계의 이목을 집중시킨 대사건이었다. 안중근 의거는 한 개인의 단발 행동이 아니라 일제의 한국 침략에 분개하는 모든 한국인들의 염원을 모아 치밀하게 추진한 조직적인 행동이었다. 처단 대상으로 한국 침략정책의 거두인 인물을 택한 것은 비록 거사가 실패하였을지라도 사건 자체로 인한 효과를 극대화하려는 의도에서 나온 것이었다. 다시 말해 안중근이 처단 대상으로 이토 히로부미를 택한 것은 그가 동양평화를 해치고 한국의 자주독립을 방해하는 최대의 적이었기 때문이다.

러시아 군인들에게 붙잡힌 안중근은 1909년 10월 26일 오후 9시 30분부터 러시아 검사 밀레르에게 신문을 받았다. 밀레르는 신원사항, 의거 전후 행적과 동조자 등을 질문했으나 안중근은 이토 히로부미 처단과는 아무런 연관이 없다고 주장했다. 이토 히로부미가 죽었다는 말

안중근을 호송하는 마차

포승줄에 묶인 안중근

한국 독립과 동양평화의 사도 안중근

을 들은 뒤부터는 처단을 시인했다. 이후 밀레르와 하얼빈 제8지방 국제판사 스뜨로조프 등의 신문에 당당히 답변했다. 러시아로부터 초청을 받은 하얼빈 주재 일본 총영사관 서기 스기노杉野도 신문할 당시 배석하였다. 안중근의 국적이 한국인으로 밝혀지면 재판관할권 문제를 협의하기 위해서였다. 러시아 관할지역인 하얼빈에서 이토 히로부미가 죽었다는 것과 그의 경호를 러시아가 책임지고 있어서 이토의 사망은 러시아와 일본과의 외교 분쟁으로 비화할 수 있는 사안이기도 했다. 그러나 일본도 하얼빈 주재 일본 총영사가 이토 히로부미의 처단 전날 러시아 경비대장에게 일본인의 검색을 자제해 달라고 요청했기 때문에 경비 책임을 온전히 러시아에 물을 수 없는 상황이었다.

러시아는 재판관할권이 일본에 있다는 명분으로 한국인 안중근·우덕순 등 8명과 그 조사서류를 하얼빈 일본 총영사관으로 인도하였다. 러시아가 안중근 등을 일본에 인도한 의도는 일본과 범죄자 인도 협정도 없었지만 이토 히로부미의 경호 책임과 대일관계 등 정치적 판단에 따른 것이었다.

하얼빈 일본 총영사관에 구금된 안중근은 관동도독부 지방법원 검찰관 미조부치 타카오溝淵孝雄가 이토 히로부미를 죽인 이유를 묻자 아래와 같이 그 죄상 15개조를 들어 처단의 대의명분을 분명히 밝혔다.

이토 히로부미의 죄상 15개조

1. 한국 명성황후를 시해한 죄
2. 한국 황제를 폐위시킨 죄

3. 5조약(을사늑약)과 7조약(한일신협약)을 강제로 체결한 죄

4. 무고한 한국인들을 학살한 죄

5. 한국 정권을 강제로 빼앗은 죄

6. 철도, 광산, 산림, 전택을 강제로 빼앗은 죄

7. 제일은행권 지폐를 강제로 사용한 죄

8. 한국 군대를 해산시킨 죄

9. 교육을 방해한 죄

10. 한국인들의 외국유학을 금지시킨 죄

11. 교과서를 압수하여 불태워버린 죄

12. 한국인이 일본의 보호를 받고자 한다고 세계에 거짓말을 퍼뜨린 죄

13. 현재 한국과 일본 사이에 경쟁이 쉬지 않고 살육이 끊이지 않는데, 한
국이 태평무사한 것처럼 위로 천황을 속인 죄

14. 동양평화를 깨뜨린 죄

15. 일본 천황폐하의 아버지 태황제를 죽인 죄

안중근이 밝힌 죄악 15개조를 들은 미조부치 검찰관은 "참의로 동양
의 의사라 하겠다. 당신은 의사이니까 반드시 사형 받을 법은 없을 것이
니 걱정하지 말라"고 위로하자 안중근은 "내가 죽고 사는 것은 논할 것
없고, 이 뜻을 속히 일본 천황폐하에게 아뢰어라, 그래서 속히 이등의
옳지 못한 정략을 고쳐서 동양의 위급한 대세를 바로잡도록 하기를 간
절히 바란다"고 처단 의거의 정당성을 거듭 강조했다.

안중근은 1909년 11월 3일 하얼빈 일본 총영사관에서 중국 뤼순감옥

으로 이송되었다. 이는 안중근 재판을 뤼순에 있는 관동도독부 지방법원으로 지정하기 위한 조치였다. 그 이유는 첫째, 일본 국내에서 재판할 경우 국제적 여론이 재판에 영향을 줄 수 있다고 보았기 때문이다. 둘째, 관동도독부 지방법원은 재판관 한 사람이 판결을 내리기 때문에 일본의 의도대로 판결을 내릴 수 있었기 때문이었다.

수감 중인 안중근
단지를 하여 왼손 약지가 짧은 모습

뤼순감옥에 수감된 안중근은 1909년 11월 3일부터 12월 21일까지 미조부치 검찰관으로부터 11번 그리고 11월 26일부터 1910년 2월 6일까지 조선통감부에서 파견된 사카이堺 경시로부터 12번의 신문을 받았다.

안중근은 본격적으로 민족운동에 돌입한 후부터 한국 침략의 원흉인 이토 히로부미를 포살하려 하였다. 그가 재러 한인들에게 한국 내에서 치열하게 벌어지고 있는 의병활동에 적극 동참할 것을 간곡히 호소한 내용에서도 이미 그러한 입장이 드러나 있다. 여기에서 안중근은 일제의 한국 침략을 규탄하고 창의의 정당성을 천명한 다음, 자신이 한국 침략정책의 최종 책임자인 이토 히로부미를 사살하기에 이르는 이유를 자세히 알려주고 있다.

안의ㅅ즁근공
大韓義士安重根公

하르빈뎡거쟝에셔아라스되신과이등박문이셔로맛나는모양
哈爾賓停車場日本伊藤博文俄國度文大臣捉手之光景

하얼빈 의거 언론 보도

현재 한국의 참상을 그대들은 아는가 모르는가. 일본과 러시아가 개전할 적에 전쟁 선언하는 글 가운데 "동양평화를 유지하고 한국 독립을 굳건히 한다"고 했으나 오늘에 이르러서는 이같이 무거운 의리를 지키지 아니하고 도리어 한국을 침략하여 5조약과 7조약을 강제로 맺은 다음, 정권을 손아귀에 쥐고서 황제를 폐하고 군대를 해산하고 철도·광산·산림·천택을 빼앗지 않은 것이 없으며, 관청으로 쓰던 집과 민간의 큰 집들을 병참이라는 핑계로 모조리 빼앗아 거하며, 기름진 전답과 오랜 분묘들도 군용지라는 푯말을 꽂고 무덤을 파헤쳐 화가 백골에까지 미쳤으니, 국민 된 사람으로 또 자손 된 사람으로 어느 누가 분함을 참고 욕됨을 견딜 것입니까. 그래서 2천만 민족이 일제히 분발하여 3천 리 강산에 의병들이 곳곳에서 일어났습니다.

아! 슬픕니다. 저 강도들이 도리어 우리를 폭도라 일컫고 군사를 풀어 토벌하고 참혹하게 살육하여 두 해 동안에 해를 입은 한국인들이 수십 만 명에 이르렀습니다. 강토를 뺏고 사람을 죽이는 자가 폭도입니까. 제 나라를 지키고 외적을 막는 사람이 폭도입니까. 이야말로 도둑놈들이 막대기를 들고 나서는 격입니다. 한국에 대한 정략이 이같이 잔폭해진 근본을 논한다면 전혀 그것은 이른바 일본의 대정치가 늙은 도둑 이등박문의 폭행인 것입니다. 한국 민족 2천만이 일본의 보호를 받고자 원하고, 그래서 지금 태평무사하며 평화롭게 날마다 발전하는 것처럼 핑계하고 위로 천황을 속이고 밖으로 열강들의 눈과 귀를 가려 제 마음대로 농간을 부리니 못하는 일이 없으니, 어찌 통분한 일이 아니겠습니까. 우리 한국 민족이 만일 이 도둑놈들을 죽이지 않는다면 한국은 꼭 없어지고야 말 것이며, 동양도 또한 망하고야 말 것입니다.

이러한 계획은 신문조서에서도 일관되게 보이고 있다. 검찰관이 "전부터 이토 히로부미를 한국 또는 동양의 적으로 생각하고, 죽이려고 결심하고 저격한 것인가."라는 물음에 안중근은 "그렇다. 나는 3년 전부터 이등을 죽이려고 결심하고 있었다. 처음에 나는 일본을 신뢰하고 있었는데, 점점 한국이 이토 히로부미에 의해 불행해져서 내 마음은 변했고, 결국 그를 적대시하기에 이르렀다. 이는 나뿐이 아니라 한국의 2천만 동포가 모두 같은 마음이다"고 답변했다.

정치적 판결을 받고 옥중에서
장렬하게 순국하다

안중근 의거는 세계에 충격과 놀라움을 주었다. 식민지 정책에 몰두하고 있던 열강들은 그의 죽음에 깊은 동정을 보냈던 반면, 중국 북경 정부를 비롯한 아시아의 여러 약소 민족국가는 안중근 의거를 크게 보도하면서 일본의 팽창정책에 큰 저해 요소로 작용할 것이라고 하였다. 이와 같이 안중근 의거는 일본의 대륙 침략정책과 한국 침략정책의 실체를 국내외에 알리고, 세계를 향하여 일제의 침략을 규탄하고 한국의 자주독립을 주장하려는 독립운동가의 민족사적 행위였다.

안중근은 공판정에서 자신이 한국의병의 참모중장의 자격으로서 동양평화의 괴수를 척살한 것이며, 독립전쟁의 일환으로서 그를 처단한 것이기 때문에 만국공법에 입각하여 전쟁에서 붙잡힌 포로 대우를 해줄 것을 요구하였다. 따라서 안중근이 공판 과정에서 보여준 모습은 이토 히로부미 사살이 목적이 아니라 이를 통한 일본의 식민지 지배 야욕을 세계에 알리고 나아가 국권 회복을 위한 독립전쟁임을 제시하고자 함이었다.

당시 일본은 안중근을 심문하고 재판할 권한이 없었다. 하얼빈 의거는 러시아군대가 관할하는 청나라 영토인 하얼빈에서 일어났기 때문이다. 또 의거의 당사자인 안중근이 한국인이고, 러시아 관헌이 사건 현장에서 안중근을 체포했기 때문이다. 하얼빈은 동청철도 부속지이자 개방지역으로 청나라에 치외법권이 있는 나라라면 자국의 법으로 다스리도록 영사재판권을 확보하고 있었다. 또한 1899년 9월 1일 체결된 「한청통상조약」 5관款에는 '청나라 영토 안에 있는 한국인은 한국법을 적용한다'라고 하여, 영사재판권을 명확히 하였다. 따라서 이토 히로부미 저격 사건의 재판권은 한국에 있는 것이며, 하얼빈 일본 총영사는 일본인을 관할할 뿐 한국인은 외국인이어서 관할 대상에 포함시킬 수 없었다. 그러나 일본은 1905년 체결된 「한일보호조약」 1조 '외국에 있는 한국인은 일본 관헌이 보호한다'를 근거로, 재판권이 일본에 있음을 들고 나왔다. 일본은 이 조약을 확대 해석하여 러시아 측에게 범인을 일본 측으로 넘겨달라고 강력히 요구하였으며, 재무대신 코콥체프는 재판권을 포기하고 안중근을 일본에 넘겨주었다. 이에 안중근은 러시아 당국의 조사를 받고 나서 그날 오후 하얼빈 일본 총영사관에 인계되었다.

안중근 공판은 명백한 정치적 재판이었다. 검찰관의 신문이 본격적으로 시작되는 11월 14일 이전에 이미 일본 정부와 뤼순 법원은 안중근 처형을 위한 정치적 조율을 하고 있었다. 외무대신의 훈령을 받고 뤼순으로 출장 와서 수사 동정과 여론을 직접 확인한 구라치 데쓰기치 정무국

뤼순 법원에서 안중근의 공판 모습

장은 11월 13일 안중근의 처리와 관련된 정부의 공식입장을 밝혀줄 것을 요구하는 극비의 전보를 고무라 주타로 외무대신에게 보냈다. 이 전보문에서 구라치는 "안중근을 중형에 처해야 하나 사리私利에서 나온 것이 아니므로 무기형에 처할 가능성도 있다"는 법원의 분위기를 전달하면서, "정부의 희망사항을 법원에 직접 전달할 터이니 내시內示를 바란다"고 하였다. 고무라 외무대신의 답신은 12월 2일에 있었다. 그는 답신에서 "안중근의 범행은 지극히 중대하므로 징악懲惡의 정신에 거하여 극형에 처해야 한다"는 정부의 공식 입장을 전달하였다. 이처럼 일본 정부와 관동도독부 지방법원이 안중근을 사형에 처하기로 사전 정치적 밀약을 마친 상태였으므로 당초부터 공정한 재판을 기대하기는 어려운 형편이었다.

안중근에 대한 제4회 공판 때, 미조부치 타카오 검찰관의 일본법에

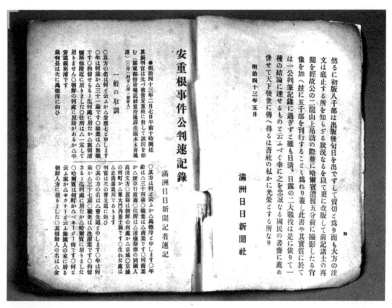

안중근 공판 속기록

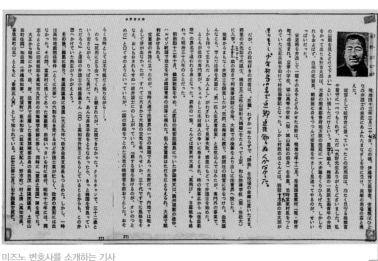

미즈노 변호사를 소개하는 기사

의한 사형 구형 논고와 그 이유 설명이 있었다. 제5회 때는 달갑지도 않은 일본인 관선변호사의 변론이 있었다. 당시 일본인 관선변호사의 변론에 대하여 안중근은 다음과 같이 기록하고 있다.

> 그 다음날 미즈노와 가마타 두 변호사가 다음과 같은 변론을 했다.
> "피고의 범죄는 분명하고 의심의 여지가 없으나, 그것은 오해에서 비롯된 일이므로 그 죄가 중대하지는 않습니다. 더구나 한국 인민에 대해서는 일본 사법관에 관할권이 없습니다." 나는 다시 다음과 같이 반론을 제기했다. "이토 히로부미의 죄상은 천지신명과 사람들이 모두 다 아는 일인데 오해는 무슨 오해란 말인가? 더구나 나는 개인으로 사람을 죽인 범죄인이 아니다. 나는 한국과 일본이 전쟁을 하는 도중에 대한국 의병 참모 중장의 의무를 다하기 위해서 하얼빈에 와서 공격을 가한 후에 포로가 돼 지금 이곳에 오게 된 것이다. 여순 지방재판소와는 전혀 상관이 없는 일이니, 만국공법과 국제공법으로 나를 판결해야 한다." 이때 시간이 다 돼 재판관은 모레 다시 개정해 선고를 하겠다고 말했다. 나는 혼자 생각했다. '모레면 일본국 4700만 인구의 인격을 저울질해 볼 수 있을 것이다. 그들의 인격이 무거운지, 가벼운지, 높은지, 낮은지 지켜보리라.'
>
> ─『안응칠역사』

일제는 안중근을 뤼순의 관동도독부 지방법원으로 넘겨 재판을 받도록 하였다. 일제는 안중근을 비롯하여 총 15명을 기소하였고, 외국인에 대한 폭압적 영사재판권을 실시하여 1910년 2월 14일 안중근에게 사형, 우덕술에게는 징역 2년, 조도선·김동하에게 각각 징역 1년 6개월을 언도하였다.

안중근은 1910년 3월 26일 일제 관동도독부 뤼순감옥에서 '사형'이 집행되어 순국하였다. 이보다 앞서 안중근은 뤼순지방법원에서 사형선고를 받고도 다시 살 수 있는 길일지도 모를 고등법원에 상고를 하지 않았다. 모친의 교훈과 안중근의 결연한 뜻이었다. 단지 그 동안 그가 『안응칠역사』에 이어 집필 중이던 『동양평화론』을 완성하기 위해 히라이시 우지히토平石氏人 고등법원장을

사형집행을 앞둔 안중근

만난 자리에서 완성까지 얼마간의 형집행 연기를 희망해 승낙 약속을 받았었다. 그러나 그들은 이 약속을 어기고 안중근이 처음 원했던 천주교 사순일인 3월 25일이 순종황제의 탄신일이라 하여 하루 지난 3월 26일 오전 10시 전옥典獄 구리하라 사다키치栗原貞吉와 미조부치 타카오 검찰관, 그리고 소노키 스에요시園木末喜 통역 등 사형집행리들의 입회하에 감옥 내 사형실 교수대에서 교수형이 집행되었다.

안중근은 사형 전날 고향에서 보내온 흰색 명주 한복으로 갈아입고 조용히 무릎 꿇고 기도하였다. 전옥이 사형집행문을 낭독하고 최후의 유언을 물었으나 다른 말은 없고 "나의 이 거사는 동양평화를 위하여 결

행한 것이므로 임석제원들도 앞으로 한·일 화합에 힘써 동양평화에 이바지하기 바란다"라고 하며 "나와 함께 '동양평화만세'를 부르자"고 제의하였으나, 그들은 이를 저지하고 교수형 집행을 감행하였다.

12분 후인 오전 10시 15분경 검찰 의사가 안중근의 운명을 확인하고 새로 만든 관에 유해를 입관시켰다. 당시 죄수들은 바구니에 담아 매장하는 것이 관례였으나 이는 차별화된 것이라고 볼 수 있다. 유해는 정근·공근 두 동생의 탄원과 절규에도 불구하고 유족에게 인도되지 않고 감옥 수인묘지囚人墓地에 그들 관계인끼리 매장하고 말았다. 일제는 안중근의 유해가 한국인의 손에 넘어갈 경우, 그의 묘소가 국내외 운동의 성지로 화할 것을 두려워했던 것이다.

옥중에서 문필 활동을 펼치다

약 5개월간 뤼순감옥에서 힘겨운 투옥 생활을 견뎌가면서 안중근은 문필 활동을 활발히 벌였다. 이는 이토 히로부미 포살사건이 정당치 못했음을 억지로 논증하려는 일제 측의 집요한 사상공작에 대항하여 벌인 공판투쟁과 함께 안중근의 말년 활동을 대표하는 것이다. 옥중에서 펼쳐진 안중근의 문필 활동은 크게 네 갈래로 갈라진다.

첫째는 1909년 12월 13일에 시작되어 1910년 3월 15일에 탈고한 『안응칠역사』의 집필 작업이다.

둘째는 1910년 2월 10일 검찰관의 사형 구형과 2월 14일 재판관의 사형 언도 직후에 착수한 것으로 보이는 미완성의 논문 『동양평화론』의 저술 작업이다.

셋째는 2월 14일 사형 언도 전후부터 3월 26일 순국 직전까지 정력적으로 매달린 휘호 작업이다.

넷째는 사형 집행을 앞두고 자신의 일생을 정리하는 차원에서 가족과 지인들에게 서한과 유서를 보낸 것이다. 이 중에서 자서전 집필 작업은 공판 투쟁이 본격화된 시점에서 시작된 것이었던 반면, 나머지 작업은 공판 투쟁이 무효로 돌아가고 사형을 언도받은 이후에 이루어졌다.

안중근의 옥중 생활은 비교적 여유로운 편이었다. 그가 뤼순감옥에 수감된 후에 일제 감옥 측은 하루 세 번 식사 때마다 상등 쌀밥을 넣어 주고 갈아입을 좋은 내복도 준비해 주었다. 또한 솜이불도 네 벌을 특별히 주었으며 밀감·배·사과 등 과일도 매일 여러 차례 넣어주었다. 그리고 날마다 우유도 한 병씩 주었는데, 이것은 임시통역관 소노키 스에요시가 특별히 대접하였다. 또한 미조부치 타카오 검찰관은 닭과 담배 등을 사서 넣어주었으며, 안중근에 대한 심문이 끝나면 언제나 이집트 담배를 내주고 같이 피우며 인간적인 대화를 시도하였다. 그러한 사이에 미조부치는 안중근의 주장에 동조하는 빛을 나타내기도 하였다. 그런데 이러한 우대나 환대는 두말할 것도 없이 안중근 의거의 내막을 철저히 파헤치려는 일제 측의 치밀한 고등전술에 입각한 것이었다.

뤼순감옥에서 안중근은 자신의 항일 논리를 강화하고 동양평화론을 정립하며 짧은 생애를 정리하는 데 시간을 보냈다. 1909년 11월 3일 오후부터 1910년 3월 26일 아침까지 지속된 안중근의 수감 생활은 1910년 2월 14일 사형을 언도받는 시점을 전후하여 두 시기로 구분된다. 전기에 그는 관동도독부 지방법원의 검찰관, 조선총독부 경무청의 경시, 일본외무성의 관리로부터 심문을 받았다. 이때 그는 일제의 한국 침략과 통감정치를 정당화하려는 일본인들의 교묘하고 집요한 침략 논리를 논파할 대응 논리를 찾느라 고심하였다. 후기에 그는 공소를 포기하고 감옥 안에서 형집행을 기다리는 괴로운 시기를 시종일관 의연한 자세로 보내면서 문필 활동을 정력적으로 벌였다. 그 덕분에 그는 자신의 생애와 종교사상이 담긴 『안응칠역사』의 집필을 완료하였고, 평화사상이 집약된 『동양평화론』의 중요 부분을 썼으며, 그리고 일본인들의 요청에 따라 많은 휘호를 남겼다. 따라서 옥중 생활은 안중근에게는 힘겨운 나날의 연속이었던 반면, 그의 유묵은 한민족에게 소중한 자산이 되었다고 말할 수 있다.

안중근은 사형을 언도받고 나서 더 이상 심문을 받지 않게 되자 남는 시간을 이용하여 문필 활동에 박차를 가하였다. 그런 사이에 그는 일본인들의 요청에 따라 많은 유묵을 남겼다. 당시 일본인들이 안중근의 휘호를 원한 것은, 첫째, 안중근이 한국인임에도 불구하고 자신들이 존경해 마지않는 이토 히로부미를 하얼빈 역두에서 쏘아 죽인 거물급 인사이기 때문일 것이며, 둘째, 안중근이 특유의 친화력과 감화력으로 뤼순감옥과 뤼순법원에서 근무한 많은 일본인들과 인간적으로 교분을 나누었기 때문일 것이며, 셋째, 안중근이 일본외무성 및 조선통감부 관리, 관동도독부의 검찰관과 재판관으로부터 심문과 재판을 받으면서도 시종일관 의연한 지사의 풍모를 잃지 않았기 때문일 것이다. 특히 안중근이 자신의 애국사상과 동양평화론을 당당히 밝히고, 하얼빈 의거의 정당성을 확고히 토로하고, 일제의 한국 침략의 부당성과 재판의 불공정성을 지적한 것은 재판장 이하 일본인들로부터 의로운 인물이라는 찬탄과 함께 깊은 흠모의 정을 불러일으켰음에 틀림없다. 이런 이유들 때문에 뤼순의 일본인들은 안중근을 단순한 살인범이 아니라 투철한 철학을 가진 애국지사이며, 개인의 사리를 위해서가 아니라 동양평화를 위해 거사를 단행한 위대한 인물이라고 판단하여 다투어 휘호를 청하던 것이다.

안중근이 평소에 휘호를 남기던 모습과 마지막 휘호를 쓰던 정황은 줄곧 그를 가까이서 지켜본 뤼순감옥의 간수 치바 도시치千葉十七 헌병이 자기 가족에게 남긴 말에 비교적 자세히 나온다. 그에 의하면, 옥중의 안중근은 일본인들로부터 휘호 청탁을 많이 받았으며, 준비가 갖추어진 후에 일필휘지로 휘호를 쓰고 좌수인을 찍었고, 그리고 자신과 인연을 맺은 일본인들에게 휘호를 써주었음을 알 수 있다.

옥중에서 안중근은 자신의 휘호 활동을 아주 솔직하게 기술하였다. 자서전에서 그는 "나는 동양평화론을 저술하기 시작했다. 한편 법원과 감옥소의 관리들이 내가 친필로 쓴 글을 기념으로 간직한다며 비단과 종이 수백 장을 사서 넣어 주고는 글씨를 써줄 것을 부탁했다. 일이 이렇게 되니 나는 필법이 능하지도 못하면서 또 남의 웃음거리가 될 것을 생각하지 못하고 매일 몇 시간씩 글씨를 썼다"고 술회하였다. 이를 보면 안중근은 일본인들의 요청에 따라 하루에 몇 시간씩을 작업에 투자한 결과 40여 일 동안 많은 유묵을 남길 수 있게 되었음을 알 수 있다. 다양한 주제들을 다룬 안중근의 유묵은 모두 200여 점에 달하는 것으로 알려져 있는데, 그 중에서 존재가 확인된 작품과 작품이 남아 있지는 않으나 그 내용이 전하는 것들은 도합 60여 점이 현존하는 것으로 추정된다.

안중근 의사 유묵 현황(2020년 8월 기준)

원문 : 번역(작성연월/폭×길이(㎝)/소장) - 지정번호

보물로 지정된 유묵

1. 百忍堂中有泰和 : 백 번 참는 집안에 태평과 화목이 있다.

    (1910.2./33.2×137.4/강석주) - 보물 제569-1호

2. 一日不讀書 口中生荊棘 : 하루라도 글을 읽지 않으면 입안에 가시가
    돋친다. (1910.3./35.2×148.4/동국대 박물관) - 보물 제569-2호

3. 年年歲歲花相似 歲歲年年人不同 : 해마다 같은 꽃이 피건만 해마다
    사람들은 같지 않고 변하네. (1910.3./41.3×109.6/삼성미술관 리움) -
    보물 제569-3호

4. 恥惡衣惡食者 不足與議 : 헐한 옷, 헐한 밥을 부끄러워하는 자는 더
    불어 의논할 수 없다. (1910.3./31×130.5/불명) - 보물 제569-4호

5. 東洋大勢思杳玄 有志男兒豈安眠 和局未成猶慷慨 政略不改眞可
    憐 : 동양대세 생각하매 아득하고 어두우니 뜻 있는 사나이가 편한 잠
    을 어이 자리. 평화시국 못 이룸이 이리도 분개한지고 정략을 고치지
    않으니 참으로 가엾도다. (1910.3./36×138.8/숭실대 한국기독교박물
    관) - 보물 제569-5호

6. 見利思義 見危授命 : 이익을 보거든 정의를 생각하고 위태로움을 보
    거든 목숨을 바쳐라. (1910.3./30.6×140.8/동아대 박물관) - 보물 제
    569-6호

7. 庸工難用 連抱奇材 : 서투른 목수는 아름드리 큰 재목을 쓰기 어렵

다. (1910.3. / 33.4×137.4 / 국립중앙박물관) – 보물 제569-7호

8. 人無遠慮 難成大業 : 사람이 멀리 생각지 못하면 큰일을 이루기 어렵
다. (1910.2. / 33.5×135.8 / 숭실대 한국기독교박물관) – 보물 제569-8호

9. 五老峯爲筆 三湘作硯池 靑天一丈紙 寫我腹中詩 : 오로봉으로 붓을
삼고 삼상의 물로 먹을 갈아 푸른 하늘을 한 장 종이 삼아 뱃속에 담긴
시를 쓰련다. (1910.2. / 31.8×138.4 / 홍익대 박물관) – 보물 제569-9호

10. 歲寒然後 知松栢之不彫 : 날이 추워진 후에야 잣나무와 소나무가
시들지 않음을 알게 된다. (1910.3. / 30.6×133.6 / 안중근의사기념관) –
보물 제569-10호

11. 思君千里 望眼欲穿 以表寸誠 幸勿負情 : 천리 밖에서 그대를 생
각하니 바라보는 눈이 뚫어질 듯하오이다. 작은 정성을 바치오니 행
여 이 정을 저버리지 마소서. (1910.2. / 33.5×138 / 오영욱) – 보물 제
569-11호

12. 丈夫雖死心如鐵 義士臨危氣似雲 : 장부는 비록 죽을지라도 마음
은 쇠처럼 단단하고 의사는 위태로움에 이를지라도 기운이 구름처
럼 가볍도다. (1910.3. / 31.7×135.4 / 숭실대 한국기독교박물관) – 보물 제
569-12호

13. 博學於文 約之以禮 : 글공부를 넓게 하고 예법으로 몸을 단속하라.
(1910.3. / 33.3×137.9 / 안중근의사기념관) – 보물 제569-13호

14. 第一江山 : 제일강산. (1910.2. / 96.6×38.6 / 숭실대 한국기독교박물
관) – 보물 제569-14호

15. 靑草塘 : 청초당. (1910.3. / 67×37.6 / 해군사관학교 박물관) – 보물 제

569-15호

16. 孤莫孤於自恃 : 스스로 잘난 체
하는 것보다 더 외로운 것은 없다.
(1910.2./74.9×39.7/남화진) – 보물
제569-16호

17. 仁智堂 : 어질고 지혜로워야 한다는
뜻의 당호. (1910.2./67×37.6/삼성
미술관 리움) – 보물 제569-17호

18. 忍耐 : 참고 견디다. (1910.3./72.1×
26.8/김신화) – 보물 제569-18호

19. 極樂 : 극락. (1910.3./68.2×33.3/
안중근의사기념관) – 보물 제569-19호

20. 雲齋 : 운재. (1910.3./67.8×32.8/
안중근의사기념관) – 보물 제569-20호

21. 欲保東洋 先改政略 時過失機 追
悔何及 : 동양을 보호하려면 먼저
정략을 고쳐야 한다. 때가 지나 기
회를 놓치면 후회한들 무엇하리
요. (1910.3./34×136.5/단국대 박물
관) – 보물 제569-21호

안중근 유묵 – 견리사의 견위수명
이익을 접하면 의로움을 생각하고 나라가
위태로울 때는 목숨을 바친다는 뜻

22. 國家安危 勞心焦思 : 국가의 안위를 걱정하고 애태운다. (1910.3./
42×152/안중근의사기념관) – 보물 제569-22호

23. 爲國獻身 軍人本分 : 나라 위해 몸 바침은 군인의 본분이다.
(1910.3. / 25.9×126.1 / 안중근의사기념관) - 보물 제569 - 23호

24. 天與不受 反受其殃耳 : 하늘이 주는데 받지 않으면 도리어 벌을 받
게 된다. (1910.2. / 32.2×136.8 / 김화자) - 보물 제569 - 24호

25. 言忠信 行篤敬 蠻邦可行 : 충성스럽고 믿음직스럽게 말하고 돈
독하고 공경스럽게 행동하는 것은 오랑캐 나라에서도 할 수 있다.
(1910.3. / 25.9×126.1 / 안중근의사기념관) - 보물 제569 - 25호

26. 臨敵先進 爲將義務 : 적을 맞아 먼저 전진하는 것이 장수의 의무이
다. (1910.3. / 25.9×126.1 / 해군사관학교) - 보물 제569 - 26호

실물이나 사본으로 알려진 유묵

27. 志士仁人 殺身成仁 : 지사와 어진 사람은 자신을 죽여 인을 이룩한
다. (1910.3. / 40×150 / 안중근의사기념관)

28. 天堂之福 永遠之樂 : 천당의 복은 영원한 즐거움이다.
(1910.3. / 33.2×136.2 / 안중근의사기념관)

29. 黃金百萬兩 不如一敎子 : 황금 백만 냥이라도 자식에게 하나를 가
르침만 못하다. (1910.3. / 35×150 / 대한민국역사박물관)

30. 敬天 : 하늘을 공경하다. (1910.3. / 65.3×34 / 천주교 서울대교구)

31. 釰山刀水 慘雲難息 : 검산과 칼 물에 참담한 구름조차 쉬기 어렵다.
(1910.2. / 30×102 / 안도용)

32. 山不高而秀麗 水不深而澄淸 地不廣而平坦 林不大而茂盛 : 산은
높지 않으나 수려하고 물은 깊지 않으나 청결하고 땅은 넓지 않으나

평탄하고 숲은 크지 않으나 무성하다. (1910.3./34.5×136/삼성미술관 리움)

33. 日韓交誼 善作紹介 : 한일 간에 교의는 소개가 잘 되어야 한다. (1910.2./동아일보사)

34. 日通淸話公 : 청나라 말을 할 줄 아는 일본인 통역관(날마다 맑은 이야기를 나누는 사람). (1910.3./41.1×37/이인정)

35. 白日莫虛渡 靑春不再來 : 세월을 헛되이 보내지 마라. 청춘은 다시 오지 않는다. (1910.2./31×145/정석주)

36. 澹泊明志 寧靜致遠 : 담백한 밝은 뜻이 편안하고 고요하여 오래 전수된다. (1910.2./32.3×135.6/박원범)

37. 謀事在人 成事在天 : 일을 꾸미는 것은 사람에게 달려 있고, 일의 성패는 하늘에 달려 있다. (1910.2./34×136.3/오정택)

38. 人無遠慮 必有近憂 : 사람이 멀리 생각지 못하면 반드시 가까운 곳에 근심이 생긴다. (1910.3./38.5×149.3/김장렬)

39. 貧與賤 人之所惡者也 : 가난하고 천한 것은 사람들이 싫어하는 바이다. (1910.3./42×120/중국 뤼순박물관)

40. 戒愼乎其所不睹 : 아무도 보지 않는 곳에서 경계하고 삼간다. (1910.3./40×150/일본 류코쿠대학)

41. 不仁者 不可以久處約 : 어질지 못한 자는 궁핍한 곳에서 오래 못 견딘다. (1910.3./40×150/일본 류코쿠대학)

42. 敏而好學 不恥下問 : 민첩하고 배움을 좋아하며 아랫사람에게 묻는 것을 부끄러워하지 않는다. (1910.3./40×150/일본 류코쿠대학)

43. 獨立 : 독립. (1910.2. /66.2×33 /일본 류코쿠대학)

44. 貧而無諂 富而無驕 : 가난하되 아첨하지 아니하고 부유하되 교만하지 않는다. (1910.3. /32×137 /일본 도쿄도립 로카기념관)

45. 日出露消兮 正合運理 日盈必昃兮 不覺其兆 : 해가 뜨니 이슬이 사라짐이여 천지의 이치에 부합하도다. 해가 차면 반드시 기울어짐이여 그 징조를 깨닫지 못하는 도다. (1910.2. /47×143 /일본인 소장)

46. 喫蔬飮水 樂在其中 : 나물 먹고 물 마시니 즐거움이 그 속에 있네. (1910.3. /26.5×133 /일본인 소장)

47. 百世淸風 : 백세청풍. (1910.2. /69×34 /사토 가즈오)

48. 人類社會 代表重任 : 인류사회의 대표는 책임이 무겁다. (1910.2. /일본인 소장)

49. 弱肉强食 風塵時代 : 약한 자를 강한 자가 잡아먹는 풍진시대다. (1910.3. /일본민단)

50. 言語無非菩薩 手段擧皆虎狼 : 말은 보살 아닌 것이 없건마는 하는 짓은 모두가 사납고 간특하다. (1910.3. /일본민단)

51. 年年點檢人間事 惟有東風不世情 : 해마다 세상일을 헤아려 보니 다만 봄바람만이 세태를 따르지 않네. (1910.3. /일본인 소장)

52. 臥病人事絶 嗟君萬里行 河橋不相送 江樹遠含情 : 병석에 누워서 인사를 못하는데 만 리 먼 길 떠나는 그대를 애달파하네. 연못 다리에 나가 송별하지 못하니 강가의 나무숲에 마음만이 어려 있네. (1910.3. /일본인 소장)

53. 自愛室 : 스스로 아끼는 집의 당호. (1910.3. /소재불명)

54. 一勤天下無難事 : 부지런하면 천하에 어려울 것이 없다. (1910.3. / 만주일일신문, 1910. 3. 26)

55. 通情明白 光照世界 : 통정을 명백히 하면 세계를 밝게 비출 것이다. (1910.3. / 만주일일신문, 1910. 3. 27, 贈 園木 先生)

56. 臨水羨魚 不如退結綱 : 물에 다다라 고기를 부러워함은 물러가서 그물을 뜨니만 못하다. (1910.3. / 계봉우, 『만고의스 안중근젼』)

57. 凱旋 : 개선. (1910.3. / 조소앙, 『유방집』)

58. 長歎一聲 先弔日本 : 크고 긴 탄식 한 소리로 먼저 일본의 멸망을 조문한다. (1910.3. / 40×230 / 일본인 소장)

59. 乘彼白雲至于帝鄉矣 : 흰 구름을 타고 하늘나라에 이르리. (1910.3. / 34×137.7 / 한국)

60. 洗心臺 : 마음을 씻는 곳. (1910.3. / 한국)

61. 三軍之勇可奪 匹夫之心不可奪 : 삼군의 용기는 빼앗을 수 있어도, 필부의 마음은 빼앗지 못한다. (1910.3. / 사진본)

62. 於國於民 竭誠盡力 : 나라와 백성을 위해 힘과 정성을 다하다. (1910.3. / 사진본)

내용은 전하나 실물이나 사본이 확인되지 않은 유묵

63. 天地飜覆 志士慨嘆 大廈將傾 一木難支 : 천지가 뒤집혀짐이여 지사가 개탄하도다 큰집이 장차 기울어짐이여 한 그루 나무로 지탱하기 어렵도다. (계봉우, 『만고의스 안중근젼』)

64. 害我伊藤不復活 生我東洋平和本 : 나를 해치더라도 이토는 다

시 살아오지 못하니 나를 살리는 것이 동양평화의 근본이다.
(1910.1.10./境喜明 경시)

65. 人心惟危 道心惟微 : 사람의 마음은 오직 위태하고 도의 마음은 오
직 미묘하다. (조선신문, 1910.3.30.)

66. 天地作父母 日月爲明燭 : 하늘과 땅을 부모로 삼고 해와 달을 밝은
촛불로 삼는다. (중앙일보, 1986.3.26.)

이상 안중근의 유묵은 1910년 2월에 쓰인 10여 점을 제외하면 3월에
쓰인 것이 대부분이다. 이는 그가 죽음을 앞두고 20여 일 동안에 집중
적으로 휘호를 남겼음을 보여준다. 실제로 그의 유묵은 좌측 중단부터
하단까지 작은 글씨의 세로로 한결같이 "庚戌 二月(혹은 三月) 於旅順監
獄中 大韓國人 安重根 書"라는 친필 서명이 부기되어 있다. 형태면에
서 그의 유묵들은 대부분 세로의 큰 글씨로 쓰여 있고, 먹으로 1행 내지
2행으로 쓰여 있다. 다만 예외로 '仁智堂' 같은 당호나 '인내'·'극락'과
같은 어구의 짧은 휘호들은 가로로 우에서 좌로 쓰여 있고, "孤莫孤於自
恃"는 두 글자씩 세로로 쓰여 있다.

안중근의 유묵에는 대부분 '안중근 서'라고 쓰여 있으나 '안중근'이라
고만 되어 있는 것도 한 점 있으며, '안중근 謹拜'라고 쓴 것도 일곱 점
정도가 남아 있다. 그리고 이들 유묵에는 반드시 크라스키노의 하리에
서 단지동맹을 맺을 당시에 약지를 자른 안중근의 좌수인이 찍혀 있다.
이때 손도장은 대부분 손가락이 위를 향하도록 바르게 찍었으나 이따금
손가락이 2시 방향을 향하도록 비스듬히 찍은 것도 있다. 이처럼 상징적

서울 안중근기념관 내부

이며 흉내 내기 어려운 낙관으로 인해 안중근이 유묵들은 아직까지 어
느 핏이는 위조 시비가 일지 않는 특징이 있다.

뤼순감옥에서 안중근은 사형을 언도받은 후에 일본인들의 요청에 따
라 휘호 활동을 전개하여 200여 점에 달하는 작품을 남겼다. 현재 존재
가 확인된 60여 점의 유묵들 중에 동일한 문구로 쓰인 것은 전혀 없으
며, 모두 약지가 잘린 왼손의 손도장이 찍혀 있는 특징이 있다. 이 유묵
들은 서예작품으로서 그리 우수한 편이라고 말할 수는 없다. 그러나 거
기에는 한국의 독립을 염원하며 장렬히 산화한 대한국인 안중근의 학식
과 철학, 경세관과 시국관이 담겨 있다. 또한『안응칠역사』나『동양평화
론』에서는 찾아볼 수 없는 안중근의 인간적 면모나 일상적 자세 등이 그
대로 나타나 있다.

안중근의 유묵들을 편의상 몇 갈래로 나누어 설명해 보면 아래와 같다.

첫째, 유교의 도덕과 덕목의 실천을 강조한 유묵들이다. 이는 안중근
의 유묵에서 가장 큰 비중을 차지하고 있으며, 현재 존재가 확인된 유
묵의 43% 정도에 달한다. 이 유묵들은 화목·겸손·지조·수신·검약·처
신·근면·면학·자정·공경 등 유교적 덕목의 실천을 강조한 것들이다.

둘째, 일제의 대한 침략에 대한 내용과 동양평화를 강조한 유묵들이
다. 이는 유교 덕목의 실천을 강조한 유묵들 다음으로 많은 분량을 차지
하고 있다. 안중근은 공판 과정에서 시종일관 일제의 한국 침략을 규탄
하고 한국의 독립과 동양의 평화를 단호하게 주장했는데, 이러한 주장
이 유묵에도 그대로 나타나 있다.

셋째, 지사의 의기와 우국충정을 읊은 유묵들이다. 산야를 쏘다니며

호연지기를 기른 안중근은 의기와 우국충정이 남달랐던 인물이다. 그가 하얼빈 의거를 성사시킬 수 있었던 것은 바로 남다른 의기와 우국충정을 지니고 있었기 때문이었다.

넷째, 애국사상에 입각하여 국가의 안위와 군인의 의무를 읊은 유묵들이다. 사격의 달인으로 이름난 안중근은 훌륭한 군인의 자질을 지니고 있었다. 그는 10대 중반에 동학도를 진압하는 데 공을 세웠을 정도로 담대한 기질을 보여주었다. 또한 법정에서 그는 자신이 한국의 참모중장의 자격으로서 이토를 포살했음을 공술하였다.

다섯째, 유명한 한시를 인용한 유묵들이다. 안중근의 유묵 중에 한시는 두 편이 확인되는데, 당나라의 유명한 시인 이백이나 송지문의 시를 인용한 것이다.

여섯째, 계절의 변화와 자연의 아름다움을 노래한 유묵들이다. 이러한 유묵들은 세월의 변화를 노래하거나 자연과 강토의 아름다움을 노래한 것들이다.

일곱째, 개인들의 당호로 써준 유묵들이다. 안중근은 옥중에서 일본인들의 요청에 따라 그들의 당호를 써준 것으로 보인다.

여덟째, 천주교를 언급한 유묵이다. 안중근은 가족들에게 사후에 천당에서 만나자는 유언을 하였을 정도로 독실한 천주교도였는데, 유묵에는 천주교 종교관이 잘 나타나 있다.

1909년 11월 6일 오후 2시 30분 옥중에서 안중근은 연필로 자신이 생각하는 바를 써내려갔다. 이 글은 감옥의 감수를 통해 일본 외무성에 보고되었다.

안응칠 소회

하늘이 사람을 내어 세상이 모두 형제가 되었다. 각각 자유를 지켜 삶을 좋아하고 죽음을 싫어하는 것은 누구나 가진 떳떳한 정이라. 오늘날 세상 사람들은 의례히 문명한 시대라 일컫지마는 나는 홀로 그렇지 않는 것을 탄식한다. 무릇 문명이란 것은 동서양, 잘난이 못난이, 남녀노소를 물을 것 없이 각각 천부의 성품을 지키고 도덕을 숭상하여 서로 다투는 마음이 없이 제 땅에서 편안히 생업을 즐기면서 같이 태평을 누리는 그것이라. 그런데 오늘의 시대는 그렇지 못하여 이른바 상등사회의 고등인물들은 의논한다는 것이 경쟁하는 것이요, 연구한다는 것이 사람 죽이는 기계라. 그래서 동서양 육대주에 대포 연기와 탄환 빗발이 끊일 날이 없으니 어찌 개탄할 일이 아닐 것이냐. 이제 동양 대세를 말하면 비참한 현상이 더욱 심하여 참으로 기록하기 어렵다. 이른바 이토 히로부미는 천하대세를 깊이 헤아려 알지 못하고 함부로 잔혹한 정책을 써서 동양 전체가 장차 멸망을 면하지 못하게 되었다. 슬프다. 천하대세를 멀리 걱정하는 청년들이 어찌 팔장만 끼고 아무런 방책도 없이 앉아서 죽기를 기다리는 것이 옳을까 보냐. 그러므로 나는 생각다 못하여 하얼빈에서 총 한 방으로 만인이 보는 눈앞에서 늙은 도적 이토의 죄악을 성토하여 뜻있는 동양 청년들의 정신을 일깨운 것이다.

여기서 안중근은 이토 히로부미가 천하의 대세를 모르고 잔혹한 정책을 써서 동양 전체를 멸망의 지경에 이르게 하였다고 지적했다. 그렇기 때문에 이러한 상황을 앉아서 보고만 있을 수가 없고 또 동양 청년들의 정신을 일깨우기 위해서 하얼빈에서 이토 히로부미를 쏘아 죽이는 거사를 단행하였음을 언급하였다.

안중근은 순국 하루 전인 10월 25일 정근·공근 두 동생을 마지막으로 면회하는 자리에서 모친과 부인 등 가족들과 뮈텔 주교·빌렘 신부 등 6인에게 이미 집필해 두었던 유서를 전하였다. 또한 〈동포에게 고함〉은 안중근이 국내에서 찾아온

안중근어록비 '동포에게 고함'(독립기념관)

안병찬安秉瓚 변호사를 통해 2천만 동포에게 남기는 뼈에 사무치는 유언이다. 이 유언은 안중근 순국 전날인 1910년 3월 25일자 『대한매일신보』에 보도되었다.

동포에게 고함

내가 한국 독립을 회복하고 동양평화를 유지하기 위하여 삼 년 동안을 해외에서 풍찬노숙하다가 마침내 그 목적을 도달치 못하고 이곳에서 죽노니 우리들 이천만 형제자매는 각각 스스로 분발하여 학문에 힘쓰고 실업을 진흥하여 나의 끼친 뜻을 이어 자유독립을 회복하면 죽는 자 유한이 없겠노라.

어머니 전상서

예수를 찬미합니다. 불초한 자식은 감히 한 말씀을 어머니 전에 올리려 합니다. 엎드려 바라옵건대 자식의 막심한 불효와 아침저녁 문안인사 못 드림을 용서하여 주시옵소서.

이슬과도 같은 허무한 세상에서 감정을 이기지 못하시고 이 불초자를 너무나 생각해 주시니 훗날 영원의 천당에서 만나 뵈올 것을 바라오며 또 기도하옵니다. 이 현세의 일이야말로 모두 주님의 명령에 달려 있으니 마음을 편안히 하옵기를 천만번 바라올 뿐입니다. 분도는 장차 신부가 되게 하여 주기를 희망하오며, 후일에도 잊지 마옵시고 천주에 바치도록 키워 주십시오. 이상이 대요이며, 그밖에도 드릴 말씀은 허다하오나 후일 천당에서 기쁘게 만나 뵈온 뒤 누누이 말씀드리겠습니다.

위아래 여러분께 문안드리지 못하오니, 반드시 꼭 주교님을 진심으로 신앙하시어 후일 천당에서 기쁘게 만나 뵈옵겠다고 전해주시기 바라옵니다. 이 세상의 여러 가지 일은 정근과 공근에게 들어주시옵고, 배려를 거두시고 마음 편안히 지내시옵소서.

아들 도마 올림

분도 어머니에게 부치는 글

예수를 찬미하오. 우리들은 이 이슬과도 같은 허무한 세상에서 천주의 안배로 배필이 되고 다시 주님의 명으로 이에 헤어지게 되었으나 또 머지않아 주님의 은혜로 천당 영복의 땅에서 영원에 모이려 하오. 반드시 감정에 괴로워함이 없이 주님의 안배만을 믿고 신앙을 열심히 하고 어머니에게 효도를 다하고 두 동생과 화목하여 자식의 교육에 힘쓰며 세상에 처하여 심신을 평안히 하고 후세 영원의 즐거움을 바랄 뿐이오. 장남 분도를 신부가 되게 하려고 나는 마음을 결정하고 믿고 있으니 그리 알고 반드시 잊지 말고 특히 천주께 바치어 후세에 신부가 되게 하시오. 많고 많은 말을 천당에서 기쁘고 즐겁게 만나보고 상세하게 이야기할 기회가 있을 것을 믿고 또 바랄 뿐이오.

1910년 경술 2월 14일

장부 도마 올림

정근 · 공근에 주는 글

내가 죽은 뒤에 나의 뼈를 하얼빈 공원 곁에 묻어두었다가 우리 국권이 회복되거든 고국으로 반장해다오. 나는 천국에 가서도 또한 마땅히 우리나라의 국권 회복을 위하여 힘쓸 것이다. 너희들은 돌아가서 동포들에게 각각 모드 나라의 책임을 지고 국민된 의무를 다하며 마음을 같이 하고 힘을 합하여 공로를 세우고 업을 이루도록 일러라. 대한독립의 소리가 천국에 들려오면 나는 마땅히 춤추며 만세를 부를 것이다.

인류 평화를 위해
동양평화론을 남기다

안중근은 1909년 11월 3일부터 1910년 3월 26일까지 뤼순감옥에서 감옥생활을 하면서 다채로운 활동을 벌였다. 이때 그는 자신을 이토 히로부미에 대한 개인적인 원한에서 살인을 저지른 살해범으로 몰려는 일제 검찰관과 재판관에 대항하여, 자신의 하얼빈 의거가 대한의군의 참모중장의 자격으로 실행한 독립전쟁임을 강조하고, 이토의 한국에 대한 침략정책이 동양의 평화를 교란시킨 사실을 규탄하는 방식으로 공판 투쟁을 치열하게 벌였다. 아울러 안중근은 감옥 안에서 어려서부터 서당에서 배운 한문 실력을 동원하여 자신의 일생과 사상을 정리하는 문필 활동을 활발히 벌였다.

　감옥 안에서 안중근은 여러 방식으로 문필 활동을 벌였다. 이를테면, 자신의 일대기인 자서전 『안응칠역사』를 집필하고, 동양평화사상이 담긴 『동양평화론』을 집필하고, 200여 점의 한문 휘호를 남기고, 가족과 한국민에게 유서와 당부의 글을 남겼다. 안중근 의사의 숭고한 평화사상이 가장 잘 드러난 글은『동양평화론』이다.

옥중에서 안중근은 일본 고등법원장에게 동양평화의 대의를 역설하고,『동양평화론』의 완성을 위해 사형집행을 한 달 이상 연기해 달라고 요청하였다. 그리고『동양평화론』의 집필에 착수하였다. 그러나 일제가 안중근의 요청을 받아들이지 않음에 따라 미완의 논문이 되고 말았다. 안중근이 쓰려던『동양평화론』은 「서序」, 「전감前鑑」, 「현상現狀」, 「복선伏線」, 「문답問答」으로 이루어졌다. 그러나 현재『동양평화론』은 과거 사실을 거론하며 일본의 반성을

안중근 동상(독립기념관)

촉구하는 내용의 「서」와 「전감」의 일부만이 남아있을 뿐이다.

안중근은 「현상」에서 국제 정세를 소개하고, 일본의 동양 침략과 그에 대한 저항 및 이토 히로부미의 죄악상을 서술하려 했을 것이다. 「복선」에서 동양평화의 세부 방안을 제시하고, 「문답」에서 자신의 견해를 문답식으로 서술하려 했던 것으로 보인다.

안중근은 당시의 시대를 동양과 서양의 경쟁시대라고 판단하고 "황인종이 합치면 성공하고 흩어지면 백인종에게 패망한다"고 하였다. 안

중근은 동양 민족을 문학에만 힘쓰고 자기 나라를 지키는 정도에 머물러 있는 민족으로, 서양 민족을 도덕을 잃고 무력으로 경쟁하는 침략적인 민족으로 인식하였다. 안중근은 러시아를 서양 민족의 침략성을 대표하는 나라로 간주하고, 러일전쟁을 황인종과 백인종의 인종 경쟁이라고 하였다.

안중근은 현재 일본의 행위가 러시아의 만행보다 더 심각하다고 하였다. 그에 의하면, 러일전쟁 당시 한국과 청국이 원한을 제쳐두고 일본을 지원한 이유는 일본 천황이 발표한 선전 조칙에 "동양평화와 한국 독립을 공고히 한다"고 내세웠기 때문이었다. 그러나 지금 일본은 이전의 선전 조칙과 달리 러일전쟁 후 오히려 한국을 억압해 이른바 을사늑약을 강제 체결하고 만주의 장춘 이남을 점거해 동양평화를 깨뜨리고 있다고 규탄하였다.

안중근은 일본의 침략 행위가 오히려 서양을 도와주고 있다고 하였다. 동양 인종이 일치단결해 서양 인종의 침략을 방어하려 해도 어려운 시기에 일본이 오히려 국제 정세를 저버리고 이웃나라와의 우의를 끊고 있다는 것이다. 따라서 안중근은 일본이 한국과 중국에 계속 핍박을 가한다면 다른 인종에게 망할지언정 같은 인종에게는 능욕당하지 않을 것이라고 하였다.

「전감」은 역사에서 모범으로 삼아야 할 내용을 기술한 것이다. 안중근은 청일전쟁, 삼국간섭, 러일전쟁 등을 거론하며 일본의 제국주의를 경계하고자 하였다.

안중근은 청일전쟁에서 청국이 패전한 이유에 대해 스스로를 중화대

국이라 자칭하며 다른 나라를 오랑캐라 부른 교만, 국가 내부의 대립과 불화 등 때문이라고 하였다. 일본이 승리한 이유에 대해 메이지[明治]유신 이후 일본 지도부의 불화와 다툼이 화해와 연합으로 바뀌었기 때문이라고 하였다. 안중근은 청일전쟁 이후 삼국간섭을 주도한 러시아에 대해 호랑이와 이리보다 더 사납다고 보았다. 그는 일본이 러시아에게 치욕을 당한 것은 일본이 먼저 청국을 침략한 과실 때문이라고 하였다.

안중근은 러일전쟁 당시 명성황후 시해사건이나 청일전쟁의 원한을 되새긴 한국과 청국에서 반일 봉기가 일어났다면 일본은 승리하지 못했을 것이라고 하였다. 또 그럴 경우 일본 국내의 분열과 서구 열강의 위협이 뒤따랐을 것이라고 하였다. 안중근은 러일전쟁 당시 일본은 국력을 기울여 블라디보스토크와 하얼빈까지 진출하여 러시아를 완전히 굴복시켜야 했다고 하였다. 그리고 러일전쟁 강화회담에서 백인종인 미국이 중재한 결과로서 일본은 러시아에게 큰 배상을 받지 못했는데 같은 백인종인 러시아가 승리했다면 미국이 그렇게 중재했겠냐는 의문을 제기했다.

「청취서」는 안중근이 관동도독부 고등법원장에게 제시한 동양평화의 구상을 통역관이 적어둔 것이다. 「청취서」에서 안중근은 자신을 살인범으로 모는 재판은 부당하며 자신은 대한의군의 참모중장으로서 하얼빈 의거를 단행했다고 주장하였다. 아울러 이토 히로부미 처단은 개인적 원한 때문이 아니라 동양평화를 위한 것이며, 현재 동양평화가 문란해진 원인은 일본의 잘못된 정책 때문이라고 강조했다. 나아가 안중근은 일본의 잘못된 정책을 바로잡고 동양평화를 달성하기 위해 동양평화를 위한 구체적인 방안까지 제시하였다. 따라서 「청취서」에는 『동양평화론』에 빠진 동양평화에 대한 안중근의 구상이 잘 나타나 있다.

한국, 청국, 일본은 세계에서 형제의 나라와 같으니 서로 남보다 친하게 지내야 한다. 그러나 오늘에 있어서 형제간의 사이가 나쁠 뿐 아니라 서로 돕는 모습보다는 불화만을 세계에 알리고 있는 형편이다. 일본이 오늘날까지의 정책을 고치겠다고 세계에 발표하는 것은 일본으로서는 다소 치욕이 되는 점이 있을 것이나 이는 불가피한 일이다.

새로운 정책은 여순을 개방하여 일본, 청국, 한국이 공동으로 관리하는 군항으로 만들어 세 나라에서 대표를 파견하여 평화회의를 조직한 뒤 이를 공표하는 것이다. 이것은 일본이 야심이 없다는 것을 보이는 일이다. 여순은 일단 청국에 돌려주고 그것을 평화의 근거지로 삼는 것이 가장 현명한 방법이라고 생각한다. ……

재정 확보에 대해 말하자면 여순에 동양평화회의를 조직하여 회원을 모집하고 회원 1명당 회비로 1원씩 모금하는 것이다. 일본, 청국, 한국의 인민 수억이 이에 가입하는 것은 의심할 여지가 없다. 은행을 설립하고 각국이 공용하는 화폐를 발행하면 신용이 생기므로 금융은 자연히 원만해질 것이다. 그리고 중요한 곳에 평화회의 지부를 두고 은행의 지점도 병설하면 일본의 금융은 원만해지고 재정은 완전해질 것이다. 여순의 유지를 위해서 일본은 군함 5~6척만 계류해 두면 된다. 이로써 여순을 돌려주기는 했지만 일본을 지키는 데는 걱정이 없다는 것을 다른 나라에 보여주는 것과 다름이 없다.

이상의 방법으로 동양의 평화는 지켜지나 일본을 노리는 열강에 대응하기 위해서는 무장을 하지 않을 수 없다. 이 문제에 대해서는 일본, 청국, 한국의 3국에서 각각 대표를 파견하여 다루게 한다. 세 나라의 건장한 청년들로 군단을 편성하고 이들에게는 2개국 이상의 어학을 배우게 하여 우방 또는 형제의 관념이 높아지도록 지도한다. 이런 일본의 태조를 세계에 보여주면 세계는 이에 감복하고 일본을 존경하고 경의를 표하게 될 것이다.

이같이 하면 일본에 대해 야심이 있는 나라가 있다고 해도 그 기회를 얻기 힘들게 되며 일본은 수출도 많이 늘게 되고 재정도 풍부해져서 태산과 같은 안정을 얻게 될 것이다. 청국과 한국 두 나라도 함께 그 행복을 누리고 세계에 모범을 보여줄 수 있게 된다. 그리고 청국과 한국 두 나라는 일본의 지도 아래 상공업의 발전을 도모하게 될 것이다. 따라서 패권이라는 말부터 의미가 없어지고 만주철도 문제로 파생되고 있는 분쟁같은 것은 꿈에도 나타날 수 없게 된다. 이렇게 함으로써 인도, 버마, 베트남 등 아시아 각국이 스스로 이 회의에 가맹하게 되어 일본은 싸움이 없이도 동양의 주인공이 되는 것이다. ……

금일의 세계열강이 아무리 힘을 써도 이루지 못하는 것이 있다. 서구에서는 나폴레옹 시대까지 로마 교황으로부터 관을 받아씀으로써 왕위에 올랐었다. 그러나 나폴레옹이 이 제도를 거부한 뒤로는 이 같은 의식을 치르지 않게 되었다. 일본이 앞서 말한 것 같은 (평화적인 의미의) 패권을 얻은 뒤 일본, 청국, 한국 세 나라의 황제가 로마 교황을 만나 서로 맹세하고 관을 쓴다면 세계는 이 소식에 놀랄 것이다.

오늘날 존재하는 종교 가운데 2/3는 천주교이다. 로마 교황을 통하여 세계 2/3의 민중으로부터 신용을 얻게 된다면 그것은 대단한 힘이 된다. 만일 이에 반대하면 여하히 일본이 강한 나라라고 해도 어쩔 수가 없게 된다.

안중근의 동양평화를 위한 구체적 방략은 다음과 같다.

첫째, 일본은 러일전쟁 때에 점유한 뤼순항을 청국에 돌려주고 그 항구를 동양평화의 근거지로 만들어야 한다.

둘째, 한국, 청국, 일본 3국이 뤼순을 공동 관리하는 군항을 만들어 3국 청년들로 군단을 편성해 지키게 한다. 3국 청년들에게 2개 국어 이상 배우게 하여 우방 또는 형제의 관념이 높아지게 우의를 다져나가야 한다.

셋째, 뤼순에 한국, 청국, 일본이 동양평화회의를 조직하고 동양평화의 방략을 세우고 실천해야 한다. 이 평화회의를 장차 인도, 태국, 베트남 등 아시아 각국이 다 참여하는 회의로 발전시키면 동양평화의 중심지로 삼아야 한다.

넷째, 한국, 청국, 일본 3국이 참여하는 공동 금융기구를 설치·운영해야 한다. 이를 위해 동양 3국 국민을 회원으로 가입시키고 회원 1인당 1원씩 회비를 거둔다. 모인 자금으로 은행을 설립하고, 공용 화폐를 발행하면, 일본의 당면 과제인 재정도 확보할 수 있을 것이다. 또 평화회의에 참가한 각국 중요지에 평화회의 지부와 은행의 지점을 둔다면 신용이 두터워져 그만큼 동양평화도 돈독해질 것이다.

다섯째, 나폴레옹 이전 시대까지 서구의 중요한 평화유지책이었던 로마 교황으로부터 왕관을 받아쓰는 관례를 삼국이 따라 시행한다면 동양 평화 유지에 크게 유익할 것이다.

안중근의 동양평화사상은 동양 3국이 각기 평등한 상태에서 평화와 번영을 누리는 평화공존과 수평적인 연대를 기초로 하는 것이다. 안중근은 동양 3국이 자주와 독립을 유지한 상태에서 나라를 운영해가는 것을 동양평화라고 보았으며, 만일 어느 한 나라라도 자주와 독립을 상실한 상태에 놓여 있으면 동양평화는 이루어지지 못한 것이라고 보았다.

뤼순을 청국에 돌려주어 개방시키고, 뤼순에 동양평화회의를 조직하고 이를 아시아 각국에 확대하고, 뤼순에 동양 3국 청년들로 구성된 공동 군단을 조직하고, 동양 3국이 참여하는 공동 금융기구, 은행을 설립하고 공용 화폐를 발행하자고 하였다. 이러한 방안은 동양 3국이 공조하여 동북아의 평화와 번영을 이루도록 하고, 이러한 평화체제를 아시아 전체로 확대시켜 나가자는 방안이었다.

지금으로부터 약 110년 전에 제시된 안중근의 동양평화 구상은 당시로서는 매우 혁신적인 방안이었다. 동시대 동양 3국의 사상가 가운데 이러한 혁신적인 평화 구상을 내놓은 이는 없었다. 안중근이 구상한 동양평화체제는 오늘날 경제공동체를 이룬 유럽연합을 연상시킬 정도다.

동양평화론의 현재적 의미는 하얼빈 의거를 적극적으로 도운 이강 글에 잘 나타나 있다.

선생은 대의를 추호의 사심도 없이 자기의 생명을 초개시하고 모든 명리
名利를 초월하여 오직 일편단심 조국의 독립회복과 나아가 동양평화를 유

지하기 위하여 웅지를 품고 만리이역으로 단신 망명하여 발분망식發憤忘食
과 풍찬노숙하면서 자기의 결심한 대지大志의 일단을 실천하였다.

자기희생을 통한 미래사회에 대한 희망의 메시지가 돋보이는 부분 중
하나이다. 안중근 의거는 단순한 과거사가 아니라 현재 한민족은 물론
평화를 애호하는 모든 인간과 함께 하는 정신적인 유산임에 틀림없다.
광복 이후 안중근추도회에서 불린 김경운金卿雲의 「안중근추념가」 제3절
과 제4절은 우리에게 독립과 평화에 대한 소중함을 일깨운다.

제3절

충의에 받친 목숨 / 추천의 한을 벗어

한족의 애국단심 / 온 세상 비추었네

장렬한 그 공적은 / 하늘땅 무궁하리.

제4절

위대한 의사 기백 / 이 강토 지키나니

삼천만 동족이여 / 그의 뜻 받들어서

독립과 자유 행복 / 억만세 불변하세.

(후렴)

장하다 품으신 뜻 / 크도다 밟으신 길

온 겨레 뭉치어서 / 영원히 노래하세.

오직 조국광복을 위하여 안중근은 초개처럼 생명을 민족제단에 주저

하지 않고 바쳤다. 그의 위국충정爲國忠情은 일제강점기는 물론 분단된 조국을 하나로 잇는 중요한 매개체임에 틀림없다. 대동단결에 의한 자유와 행복은 곧 평화를 수반하는 연결고리나 마찬가지이다. 동양평화를 위한 충언忠言은 미완성인 한국 독립운동을 견인하는 든든한 밑거름이자 원동력이었다.

1879	7월 16일(양 9. 2). 황해도 해주부 광석동에서 부친 안태훈과 모친 조마리아 사이에서 장남으로 태어남.
1884	동생 정근 탄생.
1885	안씨 일가 해주에서 황해도 신천군 두라면 청계동으로 이주함. 조부 안인수가 설립한 서당에서 한학 교육을 받음.
1889	7월 11일. 동생 공근 탄생.
1891	여동생 성녀 탄생.
1892	조부 안인수 별세로 정신적인 충격을 받음.
1894	황해도 재령군 거주 향반 김홍섭의 딸 아려(17세)와 결혼함. 11월 13일. 황해도 지역 동학군에 대항해 부친 안태훈이 조직한 신천의려군 선봉장으로 출전하여 활약.
1895	2월. 청계동에 온 백범 김구와 상면함. 안태훈 천주교를 신봉.
1897	1월경. 안중근(도마, Thomas)을 비롯한 안태훈 일가가 빌렘 신부로부터 세례를 받음.
1898	2월. 빌렘 신부, 투옥된 안태훈을 해주감사에게 항의하여 구출.
1899	금광감리 주가와 충돌함. 만인계 채표회사 사장에 피선. 10월. 전 참판 김중환이 옹진 군민의 돈 5천 냥을 갈취한 문제 해결을 위한 총대로 선출됨.
1902	장녀 현생 출생.
1903	1월. 해서교안. 11월 4일. 해서교안 타결. 관료들의 폭압으로 인한 교인의 인권문제

	를 해결하기 위해 황해도 지역 교인대표로 활약.
1904	2월 8일. 러일전쟁 개전에 즈음하여 일제 침략성을 인식.
	4~7월. 청국의사 서원훈과 안태훈 충돌 사건 발생.
	7월. 보안회를 방문하여 결사대를 조직, 한국 침략의 원흉 하세가와 요시미치 저격을 제안하였으나 거절당함.
1905	6월. 부친과 상의하여 항일운동의 거점을 만들기 위해 중국 산동과 상하이 일대 시찰.
	르각 신부로부터 교육사업 등 계몽운동에 정진하라는 충고를 들음.
	11월 17일. '을사늑약' 체결로 일제 침략의 의도 깨달음.
	12월. 부친 안태훈 사망으로 귀국.
	장남 분도 출생.
	12월 25일. 이토 히로부미가 한국통감에 임명.
1906	3월. 안중근 일가 진남포 억량기에서 용정동으로 이주함.
	3~9월. 진남포에 삼흥학교를 설립하여 문무쌍전에 입각한 민족교육을 실시. 돈의학교를 인수·운영. 정대호·김문규·오일환 등과 교류.
1907	3월경. 미곡상을 운영. 한재호·손병운과 평양에 석탄회사 삼합의 설립을 계획하였으나 일본인 방해로 실패. 국채보상운동에 동참.
	5월. 진남포성당 내에 영어야학을 후원.
	7월 18일. 고종 강제 퇴위로 일제 침략 저지에 한계를 느낌.
	8월 1일. 군대해산을 목격하고 서울을 떠남.
	9월 10일경. 두만강을 건너 간도에 도착. 간도 룽징을 중심으로 동포들의 상황을 시찰.
	10월 말경. 종성, 경흥을 거쳐 포시에트에서 블라디보스토크로 감. 이곳에서 계동청년회에 가입하고 임시 사찰로 활약함.
	겨울. 엄인섭·김기룡과 결의형제를 맺음.

1908	3월 21일. 『해조신문』에 「인심결합론」을 발표.
	5월경. 동의회 평의원으로 참여.
	6~8월. 연합의병부대 중 최재형 부대의 우영장으로 국내진공작전에 참가하였으나 실패함.
	9월경. 이강이 설립한 블라디보스토크 공립협회 회원으로 활동.
	겨울. 아지미·시지미·우수리스크 등지를 순회하며 민지계발을 역설.
1909	2월 15일. 일심회 발기인으로 참여.
	3월 2일. 황병길 등 11인과 동의단지회 결성.
	3월 5일. 총기로 무장한 의병 300명을 이끌고 의병 활동을 전개.
	봄~여름. 국내 항일운동을 살피려는 계획을 세웠으나 경비 부족으로 실행에 실패.
	7월 6일. 일본각의, 한국 병탄을 의결하고 일본 천황이 그날 재가.
	10월 14일. 이토, 코콥체프와 회담 위해 오이소 출발.
	10월 18일. 이토, 중국 랴오닝성 랴오둥반도 다롄항에 도착.
	10월 19일. 연추를 떠나 블라디보스토크에 도착. 이치권의 집에 머물면서 이토의 만주 방면 시찰 소식을 들음.
	10월 20일. 대동공보사에서 이토의 만주 시찰을 확인. 거사 자금 100원을 이석산으로부터 차용함. 우덕순과 이토 처단 계획을 합의.
	10월 21일. 8시 30분발 열차를 타고 블라디보스토크를 떠남. 도중 포그라니치니에서 한의사 유경집의 아들 유동하를 러시아어 통역으로 대동하고 10시 34분에 하얼빈으로 출발.
	10월 22일. 오전 9시 15분경 안중근 일행 하얼빈 역에 도착하여 유동하의 사돈 김성백의 집에 숙박함. 이토는 뤼순을 거쳐 펑톈(현 선양)에 도착.
	10월 23일. 김성백 집에서 이토의 만주 방문 기사가 게재된 『원동

보』를 읽음. 오전에 이발을 하고 우덕순·유동하와 함께 중국인 사진
관에서 사진을 찍음. 김성옥 집에 유숙하던 조도선을 방문.

10월 24일. 우덕순·조도선이 함께 우편열차를 타고 남행하여 지야
이지스고역 도착. 우덕순과 이토 저격 거사에 대해 논의함.

10월 25일. 채가구를 떠나 기차 안에서 26일 이토가 하얼빈에 도착
함을 파악.

10월 26일. 7시경 하얼빈 역 도착. 이토 일행, 9시 15분에 열차에서
하차. 9시 30분 러시아 의장대 사열 후 일본 환영단으로 향하던 이
토에게 3발을 발사하여 명중시킴. 이때 러시아 군인이 덮치자 권총
을 떨어뜨리고 "코레아 우라"를 세번 외침. 이토, 곧 절명함. 11시
55분 지야이지스고에 있던 우덕순·조도선 체포당함. 22시 10분 일
본총영사관으로 인도됨.

10월 27일. 일본 외상 고무라 주타로, 안중근 재판을 관동도독부로 넘
김. 『대한매일신보』「이등 총마졋다」라는 기사로 안중근 의거를 보도.

10월 28일. 고무라 외상, 안중근 경력, 소속 당파, 종교, 정치상의
의견, 생활비의 출저 등을 조사 보고하라는 명령을 구라치 데쓰기치
정무국장에게 내림.

10월 30일. 일제, 안중근 뤼순감옥 구류를 결정. 미조부치 타카오
검사, 안중근 1회 신문. 이토 죄상 15개조를 거론.

11월 1일. 안중근 외 9명 연루자 뤼순으로 출발.

11월 3일. 안중근 외 9명 뤼순감옥에 수감. 일본 정무국장 구라치
뤼순에 도착.

11월 5일. 도쿄에서 이토 장례식이 거행됨.

11월 6일. 「안중근 소회」 제출.

11월 7일. 미조부치, 안중근 장남을 신문.

11월 8일. 일본 외상 고무라, 안중근에게 일본 형법 적용 지시. 미조부치, 김성백을 신문.

11월 14일. 미조부치 검사, 안중근 2회 신문.

11월 15일. 미조부치 검사, 안중근과 유동하 3회 신문.

11월 16일. 미조부치 검사, 안중근 4회 신문.

11월 17일. 미조부치 검사, 유동하와 안중근 대질신문.

11월 18일. 미조부치 검사, 안중근 5회 신문과 우덕순·유동하 대질 신문.

11월 19일. 미조부치 검사, 안정근과 안공근 신문.

11월 22일. 조선총독부 사카이 경시를 뤼순감옥으로 파견하여 신문.

11월 24일. 미조부치 검사, 안중근 6회 신문과 정대호 대질신문.

11월 26일. 미조부치 검사, 안중근 7회 신문. 사카이 경시, 안중근 1회 신문.

11월 27일. 사카이 경시, 안중근 2회 신문.

11월 29일. 사카이 경시, 안중근 3회 신문.

11월 30일. 구라치, 안중근 처벌 수위에 대하여 일본 정부에 질의.

12월 1일. 사카이 경시, 안중근 4회 신문. 미하일로프 변호사, 안중 근과 면담하고 변호계 제출.

12월 2일. 사카이 경시, 안중근 5회 신문.

12월 3일. 사카이 경시, 안중근 6회 신문.

12월 4일. 사카이 경시, 안중근 7회 신문.

12월 5일. 사카이 경시, 안중근 8회 신문.

12월 6일. 사카이 경시, 안중근 9회 신문.

12월 9일. 사카이 경시, 안중근 10회 신문과 유동하 대질신문.

12월 10일. 사카이 경시, 안중근 11회 신문.

12월 11일. 사카이 경시, 안중근 12회 신문.

12월 13일. 『안응칠역사』 집필 시작.

12월 16일. 사카이 경시, 안정근과 안공근 신문.

12월 20일. 미조부치 검사, 안중근 8회 신문.

12월 21일. 미조부치 검사, 안중근 9회 신문. 사카이 경시, 안중근 13회 신문.

12월 22일. 미조부치 검사, 안중근 10회 신문.

1910 1월 14일. 블라디보스토크 한인촌에서 안유족구제공동회 개최.

1월 26일. 미조부치 검사, 안중근 11회 신문.

2월 1일. 안병찬, 정근·공근 형제와 함께 안중근을 면회.

2월 6일. 사카이 경시, 안중근 신문 13회 신문.

2월 7일. 제1회 공판. 하얼빈 의거는 잘못된 일본의 대한정책임을 강조.

2월 8일. 제2회 공판.

2월 9일. 제3회 공판. 더글러스 변호사, 야마토 호텔에서 재판의 부당성에 대한 기자회견 가짐.

2월 10일. 제4회 공판. 미조부치 검사, 안중근에게 사형을 선고. 우덕순에게 징역 3년, 조도선과 유동하에게 징역 1년 6월이 구형.

2월 12일. 제5회 공판.

2월 13일. 안명근, 뤼순 도착.

2월 14일. 제6회 공판, 안중근 사형 언도.

2월 15일. 안병찬을 통해 동포에게 유언을 알림.

2월 17일. 히라이시 요시토 고등법원장과 면담. 동양평화론을 설파하고 『동양평화론』 집필 시작.

2월 19일. 항소를 포기.

3월 7일. 빌렘 신부, 뤼순에 도착.

3월 8일. 빌렘 신부, 안공근 등을 대동하고 안중근을 면회.

3월 9일. 빌렘 신부, 두 번째 안중근 면회.

3월 10일. 빌렘 신부, 세 번째 안중근 면회. 종부성사를 청함.

3월 11일. 빌렘 신부, 마지막 안중근 면회.

3월 15일. 『안응칠역사』 탈고.

3월 24일. 유서 6통 작성.

3월 25일. 안정근·안공근·미즈노·가마다 두 변호사와 면담. 수의가 고향에서 도착.

3월 26일. '동양평화'를 유언으로 남기고 뤼순감옥에서 순국하여 공동묘지에 묻힘. 안정근과 안공근이 안중근 유해 인도를 요구했지만 감옥 당국으로부터 거부당함.

3월 28일. 『만주일일신문』에서 안중근 공판 기록 발행.

4월 2일. 안중근 추모회가 블라디보스토크 한인들에 의해 개최.

1911   2월 2~4일. 블라디보스토크 개척리 한민학교에서 안중근 연극이 상연.

3월 26일. 블라디보스토크 한민학교에서 안중근 추도회가 개최.

8월. 홍종표(홍언), 『대동위인안중근전』 발간.

1915   박은식, 『안중근』 간행.

1916   김택영, 『안중근전』 간행.

1918   8월 28일. 연추에서 안중근 연극이 상연됨.

1923   3월 2일. 상하이 한중호조사는 중국기독교청년회당에서 안중근 연극 상연.

1928   안중근을 다룬 정기탁 감독의 영화 '애국혼'이 상하이에서 상영.

1946   3월 26일. 안중근 순국 37주년 기념식이 서울운동장에서 10만 군중이 모인 가운데 거행됨.

자료

· 『대한매일신보』, 『황성신문』, 『경향신문』, 『대한민보』, 『京城新報』, 『해조신문』, 『대동공보』, 『권업신문』, 『신한민보』, 『만주일일신문』.

· 국가보훈처 편, 『亞洲第一義俠 安重根』1 - 3, 국가보훈처, 1995.

· 국가보훈처 편, 『해외의 한국독립운동사자료(Ⅵ): 중국편②』, 국가보훈처, 1992.

· 국가보훈처·광복회 편, 『21세기와 동양평화론』, 1996.

· 국사편찬위원회 편, 『한국독립운동사자료』6 - 18, 국사편찬위원회, 1968 - 1990.

· 국사편찬위원회 편, 『주한일본공사관기록』38 - 40, 국사편찬위원회, 1994.

· 국사편찬위원회 편, 『통감부문서』7, 국사편찬위원회, 1999.

· 국사편찬위원회 편, 『요시찰한국인거동』3, 국사편찬위원회, 2002.

· 국사편찬위원회 편, 『한국독립운동사자료』34 - 35, 국사편찬위원회, 1997.

· 김구 저, 도진순 주해, 『백범일지』, 돌베개, 1997.

· 김도형 편, 『대한국인 안중근 자료집』, 도서출판 선인, 2008.

· 김호일, 『대한국인 안중근』, (사)안중근의사숭모회, 2010.

· 김정주, 『조선통치사료』5, 동경; 한국사료연구소, 1970.

· 노르베르트 베버 저, 박인영·장정란 옮김, 『고요한 아침의 나라』, 분도출판사, 2012.

· 독립기념관 한국독립운동사연구소 편, 『중국신문 안중근 의거 기사집』,

2010.

• 독립기념관 한국독립운동사연구소 편, 『일본신문 안중근 의거 기사집』, 1－2, 2011.
• 만주일일신문사 편, 『안중근사건공판속기록』, 1910.
• 대한제국 외부 편, 『황해도 來去案』, 서울대학교 규장각도서관 소장, 문서번호 규17986.
• 신용하 편, 『안중근 유고집』, 역민사, 1995.
• 안중근의사기념사업회 편, 『러시아관헌 취조문서』, 채륜, 2010.
• 안학식, 『의사안중근전기』, 萬壽祠保存會, 1963.
• 윤병석 편, 『안중근전기전집』, 국가보훈처, 1999.
• 윤병석 편, 『대한국인 안중근 : 사진과 유묵』, 안중근의사기념관, 2001.
• 윤병석 편, 『안중근문집』, 독립기념관, 2011.
• 이응익, 『海西按覈使報告書』, 서울대학교 규장각도서관 소장, 문서번호 규18764.
• 일본 국회도서관헌정자료실, 『三條家文書』『桂太郎文書』『川上俊彦關係文書』
• 일본외무성 편, 『일본외교문서』 제42권 제1책, 일본국제연합협회, 1961.
• 일본 외무성 외교사료관, 『伊藤公滿洲視察一件』, 문서번호6.4.4, 47.
• 佐藤四郎, 『伊藤公の最後』, 哈爾濱日日新聞社, 1927.

단행본
• 대구가톨릭대학교 안중근연구소 편, 『도마 안중근』, 도서출판 선인, 2017.
• 박환, 『민족의 영웅, 시대의 빛 안중근』, 도서출판 선인, 2013.
• 반병률, 『여명기 민족운동의 순교자들』, 신서원, 2013.
• 徐明勛, 『安重根 : 在哈爾濱的11天』, 黑龍江美術出版社, 2005.
• 市川正明, 『安重根と日韓關係史』, 동경: 原書房, 1979.

- 신운용, 『안중근과 한국근대사』, 채륜, 2009.
- 안중근의사기념사업회 편, 『안중근과 그 시대』, 경인문화사, 2009.
- 안중근의사기념사업회 편, 『안중근 연구의 기초』, 경인문화사, 2003.
- 안중근의사기념사업회 편, 『안중근과 동양평화론』, 채륜, 2010.
- 안중근의사기념사업회 편, 『안중근 연구의 성과와 과제』, 채륜, 2010.
- 안중근의사숭모회 편, 『안중근의사의 위업과 사상 재조명』, 2004.
- 오영섭, 『한국근현대사를 수놓은 인물들 1』, 경인문화사, 1997.
- 윤병석, 『안중근 연구』, 국학자료원, 2011.
- 윤선자, 『한국근대사와 종교』, 국학자료원, 2002.
- 이성환·이토유키오 편저, 『한국과 이토 히로부미』, 도서출판 선인, 2009.
- 이태진 외, 『영원히 타오르는 불꽃』, 지식산업사, 2010.
- 장석흥, 『안중근의 생애와 구국운동』, 독립기념관 한국독립운동사연구소, 1992.
- 정운현·정창현, 『안중근일가의 사람들』, 역사인, 2018.
- 최서면, 『새로 쓴 안중근의사』, 집문당, 1994.
- 황재문, 『안중근 평전』, 한겨레출판, 2011.

논문

- 김수태, 「안중근과 천주교의 관계에 대한 비판적 검토」, 『한국독립운동사연구』 38, 2011.
- 김형목, 「안중근의 동양평화론과 그 의미」, 『군사연구』 128, 육군본부 군사연구소, 2009.
- 김형목, 「안중근의 국내계몽활동과 민족운동사상의 위상」, 『숭실사학』 29, 2012.
- 김형목, 「안중근 동양평화론의 오늘의 의미」, 『한국인의 평화사상』 1, 서울대

통일평화연구원, 2018.

• 도진순, 「안중근과 일본의 평화지성, '화이부동'과 '사이비'」, 『한국근현대사연구』 86, 2018.

• 박민영, 「한말 연해주의병에 대한 고찰」, 『인하사학』 1, 1993.

• 박민영, 「안중근의 동의단지회 연구」, 『군사연구』 129, 육군본부, 2010.

• 박민영, 「안중근의 연해주 의병투쟁 연구」, 『한국독립운동사연구』 35, 2010.

• 오영섭, 「안중근의 정치체제 구상」, 『한국독립운동사연구』 31, 2008.

• 오영섭, 「일제시기 안정근의 항일독립운동」, 『남북문화예술연구』 2, 2008.

• 오영섭, 「안중근의 옥중 문필활동」, 『한국민족운동사연구』 55, 2008.

• 윤경로, 「안중근 의거 배경과 동양평화론의 현대사적 의의」, 『한국독립운동사연구』 36, 2010.

• 이명화, 「이강의 독립운동과 안중근 의거」, 『한국인물사연구』 11, 2009.

• 장석흥, 「안중근의 대일본의식과 하얼빈의거」, 『교회사연구』 16, 2001.

• 장석흥, 「19세기말 안태훈서한의 자료적 성격」, 『한국학논총』 26, 국민대 한국학연구소, 2004.

• 조광, 「안중근연구의 현황과 과제」, 『한국근현대사연구』 12, 2000.

• 최봉룡, 「안중근 의거에 대한 중국인의 영향」 『한국독립운동사연구』 69, 2020.

• 한상권, 「안중근의 하얼빈의거와 공판투쟁(1)」, 『역사와 현실』 54, 2004.

• 한상권, 「안중근의 하얼빈의거와 공판투쟁(2)」, 『덕성여대논문집』 23, 2004.

• 현광호, 「안중근의 동양평화론과 그 성격」, 『아세아연구』 113, 고려대 아세아문제연구소, 2003.

한국 독립과 동양평화의 사도 안중근

1판 1쇄 인쇄 2020년 10월 16일
1판 1쇄 발행 2020년 10월 26일

글쓴이   오영섭
기 획   독립기념관 한국독립운동사연구소
펴낸이   주혜숙
펴낸곳   역사공간
          주소: 04000 서울특별시 마포구 동교로19길 52-7 PS빌딩 4층
          전화: 02-725-8806
          팩스: 02-725-8801
          E-mail: jhs8807@hanmail.net
          등록: 2003년 7월 22일 제6-510호

ISBN 979-11-5707-411-2 03900

• 잘못된 책은 바꿔 드립니다.
• 이 도서의 국립중앙도서관 출판예정도서목록(CIP)은 서지정보유통지원시스템 홈페이지
  (http://seoji.nl.go.kr)와 국가자료종합목록 구축시스템(http://kolis-net.nl.go.kr)에서
  이용하실 수 있습니다. (CIP제어번호 : CIP2020042096)

역사공간이 펴내는 '한국의 독립운동가들'

독립기념관은 독립운동사 대중화를 위해 향후 10년간 100명의 독립운동가를 선정하여,
그들의 삶과 자취를 조명하는 열전을 기획하고 있다.